나다움의 미학, 스타일로 말하다

나다움의 미학, 스타일로 말하다

발 행 | 2025년 1월 9일
저 자 | 김준희
펴낸이 | 한건희
디자인 | 권영민
펴낸곳 | 주식회사 부크크
출판사등록 | 2014.07.15.(제2014-16호)
주 소 | 서울특별시 금천구 가산디지털1로 119 SK트윈타워 A동 305호
전 화 | 1670-8316
이메일 | info@bookk.co.kr

ISBN | 979-11-419-7431-2

www.bookk.co.kr

나다움의 미학,
스타일로 말하다

서문:

나다움의 미학, 스타일로 말하다

스타일은 단순히 외형을 꾸미는 것이 아닙니다. 그것은 자신을 이해하고, 자신의 가치를 드러내며, 자신만의 이야기를 전하는 섬세한 표현입니다. 우리는 매일 옷을 입고, 색상을 선택하며, 액세서리를 더해 스스로를 세상에 보여줍니다. 이 과정은 단순한 선택처럼 보일 수 있지만, 그 안에는 나다움과 미학이라는 깊은 철학이 담겨 있습니다.

나다움의 미학은 자신의 본질을 탐구하는 데서 시작됩니다. 나는 어떤 사람인가? 나는 무엇을 좋아하고, 무엇을 중요하게 생각하는가? 이러한 질문에 대한 답은 우리의 스타일 속에 담깁니다. 나다움을 찾는다는 것은 자신에게 충실하며, 자신만의 고유한 정체성을 세상에 드러내는 여정입니다. 스타일은 이 나다움을 시각적으로 표현하는 하나의 언어입니다.

스타일은 미학과 감각의 영역입니다. 옷의 색상, 실루엣, 소재를 선택하는 작은 행동들은 우리의 미적 감각과 가치를 반영합니다. 자연스럽고 편안한 스타일을 선호하든, 대담하고 독창적인 디자인을 즐기든, 모든 스타일은 그 자체로 하나의 예술 작품입니다. 옷은 단순히 입는 물건이 아니라, 우리 내면의 세계를 드러내는 캔버스입니다.

이 책 《나다움의 미학, 스타일로 말하다》은 나다움과 미학, 스타일이 만나는 지점을 탐구합니다. 스타일을 통해 자신을 발견하고, 감정과 정체성을 표현하며, 더 풍요로운 삶을 살아가는 방법을 제안합니다. 선택과 우선순위, 감정과 색상, 옷장 정리와 코디법까지, 스타일을 인문학적 시각에서 풀어내어 일상 속에서 나다움을 찾을 수 있는 길을 안내합니다.

이 책의 구성은 총 4부로 되었습니다.

1부: 자신감 편은 스타일과 자신감, 감정인식과 스타일링, 그리고 자기표현과 스타일링의 연결고리를 소개합니다. 스타일이 우리의 내면을 어떻게 반영하고 자신감을 높이는지, 감정을 어떻게 외적으로 표현할 수 있는지에 대해 다룹니다.

2부: 스타일 편은 체형별, 컬러별, 패턴과 텍스처별 스타일링 팁을 포함해, 각자의 개성과 필요에 맞춘 구체적인 코디법을 소개합니다. TPO(Time, Place, Occasion)에 따른 스타일링과 소품 및 액세서리 활용법도 다루며, 다양한 상황에서 빛나는 감성 스타일링을 완성하는 방법을 소개합니다.

3부: 감성스타일 코디법편은 우아하고 여성스러운 스타일, 모던하고 세련된 스타일, 캐주얼하고 자유로운 스타일, 그리고 보헤미안 감성 스타일까지, 각 스타일의 핵심과 조화를 이룰 수 있는 코디 팁을 상세히 소개합니다. 독자들이 자신만의 스타일을 발견하고 창의적으로 활용할 수 있도록 돕습니다.

4부: 감성스타일 사례편은 저자가 직접 스타일링한 코디를 사진으로 소개하며, 그에 대한 상세한 추천 내용을 담고 있습니다. 실생활에서 활용할 수 있는 스타일링 사례로, 옷의 선택부터 조합까지의 과정을 구체적으로 보여줍니다.

예를 들어, 비즈니스 미팅을 위한 모던하고 세련된 재킷 스타일링, 주말 나들이에 어울리는 캐주얼한 룩, 그리고 특별한 저녁 모임을 위한 우아한 드레스 코디 등, 다양한 TPO에 적합한 스타일링 팁을 소개합니다. 각 사례는 사진과 함께 색상 매칭, 액세서리 활용, 그리고 전체적인 분위기를 연출하는 방법까지 상세히 설명합니다.

독자들은 이를 통해 자신만의 스타일을 구체화하고, 나다움을 담은 감성 스타일링을 실현할 수 있는 실질적인 영감을 얻게 될 것입니다.

스타일은 우리 삶의 본질을 반영하는 거울이자, 내면의 이야기를 세상에 들려주는 목소리입니다. 이 책을 통해 당신만의 스타일을 찾고, 나다움의 미학으로 삶을 빛나게 하는 여정을 시작해 보세요. 그것이 당신의 진정한 아름다움을 발견하는 첫걸음이 될 것입니다.

2024년 12월

김준희

- CONTENT -

2부. 스타일 편

3부. 감성스타일 코디법

1부
자심감 편

1. 왜 감성스타일인가?

우리는 매일 옷을 입으며 자신을 표현합니다. 하지만 단순히 옷을 입는 행위를 넘어, 스타일은 우리의 내면을 반영하고 감정을 드러내는 강력한 수단이 됩니다. 이때, 스타일링에 감성을 더하는 것은 단순한 외형적 아름다움을 넘어, 자신을 깊이 이해하고 타인과 연결되는 가치를 창출하는 중요한 과정입니다. 바로 이것이 감성스타일이 필요한 이유입니다.

감성스타일은 개인의 정체성과 감정을 조화롭게 표현하는 데 초점을 맞춥니다. 옷의 색상, 패턴, 소재 하나하나가 우리의 기분과 태도를 반영하며, 더 나아가 주변 사람들에게 메시지를 전달합니다. 예를 들어, 밝고 경쾌한 색상은 긍정적인 에너지를 표현하고, 부드러운 텍스처의 옷은 따뜻함과 안정감을 전달합니다. 이는 단순히 멋진 이미지를 연출하는 것에 그치지 않고, 우리의 내면과 외면이 자연스럽게 연결되는 경험을 만들어 줍니다.

감성스타일은 또한 선택의 본질을 강조합니다. 우리가 무엇을 입고, 어떤 스타일을 추구하는지는 곧 우리가 누구인지를 말해주는 중요한 요소입니다. 감성스타일을 통해 우리는 유행에 따라가기보다 자신만의 스타일을 창조하며, 삶의 순간을 더욱 풍요롭게 만듭니다. 옷 한 벌, 액세서리 하나라도 우리의 진정성과 감각이 묻어난다면, 그것은 단순한 패션을 넘어 우리의 이야기를 들려주는 매개체가 됩니다.

감성스타일은 단순히 겉모습을 꾸미는 것이 아니라, 우리 삶의 감정과 정체성을 시각적으로 표현하는 과정입니다. 이 스타일은 나다움을 발견하고, 이를 세상에 보여주는 가장 진솔하고 아름다운 방식입니다. 감성스타일은 우리 자신을 이야기하는 언어입니다. 지금, 당신의 이야기를 시작해 보세요.

2. 스타일과 자신감

　스타일은 단순히 외형을 꾸미는 것을 넘어, 우리의 내면과 직접적으로 연결되어 있습니다. 자신을 표현하는 스타일은 우리가 세상과 소통하는 언어이며, 그 언어가 선명할수록 자신감도 자연스럽게 높아집니다. 스타일은 우리가 자신을 어떻게 대하는지, 그리고 세상이 우리를 어떻게 인식하는지를 결정짓는 중요한 요소입니다.

　적절한 스타일은 우리의 장점을 극대화하고 단점을 자연스럽게 보완합니다. 예를 들어, 나에게 어울리는 색상을 선택하거나 체형에 맞는 옷을 입으면 외적으로 더 빛나 보일 뿐만 아니라, 스스로에 대한 긍정적인 느낌이 커집니다. 이는 곧 자신감으로 이어지며, 자신감을 통해 우리는 더 나은 관계를 맺고 목표를 성취할 수 있는 에너지를 얻게 됩니다.

　스타일은 변화와 성장의 도구이기도 합니다. 새로운 스타일을 시도하며 우리는 자신에 대한 새로운 면모를 발견하고, 더 나아가 삶의 다양한 측면에서 도전을 두려워하지 않게 됩니다. 예를 들어, 이전에 시도해보지 않았던 대담한 색상이나 디자인을 입어보는 것은 단순한 패션 실험을 넘어, 자신의 한계를 확장하는 경험이 될 수 있습니다.

자신감 있는 스타일은 완벽함을 추구하는 것이 아니라, 나 자신을 솔직하게 받아들이고 이를 옷과 액세서리로 표현하는 데서 시작됩니다. 자신을 사랑하고 소중히 여기는 마음이 스타일의 가장 중요한 기반이 됩니다. 당신의 스타일이 곧 당신의 자신감이라는 것을 기억하세요.

3. 감정인식과 스타일링

　감정인식은 자신의 내면 상태를 이해하고, 이를 삶의 여러 측면에서 적절히 표현하는 능력입니다. 스타일링은 이러한 감정을 외적으로 표현할 수 있는 강력한 도구입니다. 옷차림, 컬러, 패턴, 그리고 액세서리를 통해 우리는 자신의 감정을 시각적으로 드러낼 수 있습니다. 이는 단순히 아름다움을 추구하는 것을 넘어, 자신을 이해하고 타인과 소통하는 방식으로 작용합니다.

　감정을 인식하고 이를 스타일링에 반영하는 과정은 스스로를 돌아보는 것으로 시작됩니다. 기분이 좋은 날, 우리는 자연스럽게 밝고 경쾌한 색상을 선택하게 됩니다. 예를 들어, 옐로나 핑크와 같은 활기찬 컬러는 우리의 기쁨과 에너지를 시각적으로 드러냅니다. 반면, 차분한 날에는 블루나 그레이 같은 색상이 안정감과 평온함을 표현합니다. 이렇게 감정에 맞는 컬러와 스타일을 선택하면, 우리는 내면의 상태를 외적으로 표현하며 자신감을 얻게 됩니다.

스타일링은 또한 부정적인 감정을 조절하는 데에도 도움을 줄 수 있습니다. 우울하거나 불안한 날, 자신을 더 밝게 보이도록 스타일링에 신경 쓰는 것은 기분 전환의 좋은 방법이 될 수 있습니다. 예를 들어, 밝은 색의 스카프나 활기찬 패턴의 드레스를 선택하면, 단순히 옷차림을 넘어 감정을 긍정적으로 변화시키는 효과를 경험할 수 있습니다.

감정과 스타일링의 연결은 내면과 외면의 조화를 이루는 데 중요한 역할을 합니다. 스타일링은 단순히 패션을 넘어 감정을 관리하고 표현하는 수단으로 작용하며, 이를 통해 우리는 더욱 풍요롭고 조화로운 삶을 만들어 갈 수 있습니다. 자신을 잘 이해하고, 그 감정을 스타일링으로 표현해 보세요. 그것이 당신의 진정한 매력을 드러내는 시작점이 될 것입니다.

4. 자기표현과 스타일링

자기표현은 자신이 누구인지, 무엇을 느끼고 생각하는지를 타인에게 전달하는 과정입니다. 스타일링은 이러한 자기표현의 가장 시각적이고 즉각적인 도구 중 하나입니다. 옷차림, 컬러, 액세서리 선택 등은 우리의 내면 세계를 외적으로 드러내는 창구이며, 스타일링을 통해 우리는 말로 하지 않아도 자신을 표현할 수 있습니다.

자기표현을 위한 스타일링의 시작은 자신을 이해하는 데서 출발합니다. "나는 어떤 사람인가? 내가 중요하게 생각하는 가치는 무엇인가?"라는 질문을 통해 우리는 자신만의 스타일을 정의할 수 있습니다. 예를 들어, 자유롭고 창의적인 사람이라면, 독특한 패턴이나 과감한 컬러의 옷을 선택함으로써 자신의 개성을 표현할 수 있습니다. 반면, 차분하고 안정감을 중요하게 여긴다면 뉴트럴 톤과 간결한 디자인의 아이템이 더 어울릴 것입니다.

자기표현으로서의 스타일링은 트렌드를 맹목적으로 따르는 것과는

다릅니다. 유행에 맞추는 대신, 자신만의 이야기를 담은 스타일을 구축하는 것이 중요합니다. 작은 디테일 하나라도 자신의 감정이나 취향을 담는다면, 그것은 단순한 패션을 넘어서는 자기표현의 도구가 됩니다. 예를 들어, 여행지에서 구입한 빈티지 액세서리나 나만의 특별한 의미가 담긴 컬러는 나를 더 잘 드러내는 장치가 될 수 있습니다.

또한, 스타일링은 자신을 소중히 여기는 태도를 반영합니다. 하루의 기분이나 목표에 맞게 스타일을 선택하는 것은 단순히 옷을 입는 행위를 넘어 자신을 대하는 방식을 보여줍니다. 이는 자기표현을 넘어 자신을 존중하고 사랑하는 과정이기도 합니다.

자기표현과 스타일링은 내면과 외면의 균형을 이루는 과정입니다. 스타일링을 통해 자신을 표현한다는 것은 단순히 외형적인 꾸밈이 아니라, 내면의 이야기를 세상에 전달하는 하나의 언어입니다. 당신만의 스타일로 세상에 당신의 이야기를 들려주세요. 그것이 바로 가장 진솔한 자기표현입니다.

5. 미니멀리즘과 스타일인문학

　미니멀리즘은 단순히 적게 소유하는 것을 넘어, 삶에서 진정으로 중요한 것에 집중하는 철학적 실천입니다. 이러한 미니멀리즘은 스타일과 옷장 정리에도 깊은 통찰을 제공합니다. 미니멀리즘과 스타일 인문학은 우리의 선택과 우선순위를 재평가하고, 자신만의 정체성을 발견하는 여정을 의미합니다.

　미니멀리즘의 핵심은 선택의 미학입니다. 우리가 소유한 옷은 단순히 입기 위한 물건이 아니라, 우리의 삶과 가치를 반영합니다. 옷장을 정리하며 "이 옷이 나에게 어떤 의미를 주는가?", "내 삶에 실제로 필요한가?"라는 질문을 던질 때, 우리는 단순히 공간을 비우는 것을 넘어 삶의 본질에 다가가게 됩니다. 즐겨 입지 않는 옷, 충동적으로 구입한 옷, 유행에 휩쓸린 옷들은 우리의 정체성을 흐리게 합니다. 이러한 선택은 우리에게 진정한 필요와 가치를 고민하게 만듭니다.

미니멀리즘은 우선순위의 재구성을 요구합니다. 활용도가 높은 기본 아이템을 중심으로 옷장을 정리하면, 더 적은 옷으로도 다양한 스타일을 연출할 수 있습니다. 예를 들어, 화이트 셔츠, 블랙 슬랙스, 뉴트럴 톤의 코트는 미니멀한 스타일을 완성하면서도 활용도가 높습니다. 이는 단순함 속에서 깊이를 발견하게 하고, 자신의 취향과 정체성을 명확히 하는 데 도움을 줍니다.

미니멀리즘과 스타일 인문학은 단순히 외형적인 정돈이 아니라, 내면의 질서를 찾는 과정입니다. 우리의 옷장은 삶의 축소판이며, 옷을 통해 우리는 자신을 표현하고 타인과 소통합니다. 미니멀리즘은 스타일링에 있어 "덜어냄으로써 더 많은 것을 얻는다"는 진리를 보여줍니다. 꼭 필요한 몇 가지 아이템으로 자신만의 이야기를 전하는 스타일은 단순함 속에서 고급스러움을 발산합니다.

미니멀리즘과 스타일 인문학은 단순한 정리를 넘어, 우리 삶과 정체성을 재구성하는 철학적 여정입니다. 옷장 속에서 본질을 찾고, 자신의 가치를 시각적으로 표현해 보세요. 이는 스타일을 넘어, 더 깊고 의미 있는 삶으로 나아가는 길이 될 것입니다.

2부
스타일 편

1. 체형별 감성스타일

체형에 맞는 스타일은 단순히 옷을 잘 입는 것 이상으로, 자신의 장점을 부각하고 자신감을 키울 수 있는 중요한 요소입니다. 체형별로 적합한 스타일링을 선택하면 자연스럽게 감성적 매력을 극대화할 수 있습니다.

사과형 체형은 상체에 볼륨이 집중된 경우를 말합니다. 이 경우, 상체를 시각적으로 슬림하게 보이게 하는 것이 핵심입니다. 브이넥이나 랩 스타일 상의는 목선을 길어 보이게 하고, 허리선이 강조된 디자인은 체형을 균형 있게 만들어 줍니다. 하의는 플레어 스커트나 와이드 팬츠처럼 하체에 볼륨을 더하는 아이템을 추천합니다.

배형 체형은 허리 부분이 상대적으로 두드러진 경우를 말합니다. 허리를 가려주는 루즈핏 블라우스나 튜닉, 그리고 허리선이 높게 올라오는 바지는 다리를 길어 보이게 하는 효과를 줍니다. 단색이나 세로 스트라이프는 몸 전체를 슬림하게 보이도록 돕습니다.

직사각형 체형은 허리와 힙, 가슴의 차이가 크지 않은 경우를 뜻합니다. 이 체형은 허리선을 강조하는 스타일링이 효과적입니다. 벨트나 러플 디테일이 있는 의상, 혹은 A라인 스커트는 자연스러운 곡선을 만들어줍니다.

모래시계 체형은 이상적인 비율로 간주됩니다. 허리를 강조하는 타이트한 실루엣의 드레스나 페플럼 스타일은 이 체형의 장점을 극대화할 수 있습니다.

체형별 스타일링은 자신의 몸에 대한 이해를 바탕으로 감각적인 선택을 가능하게 합니다. 체형을 숨기기보다는 장점을 드러내는 방향으로 스타일링을 시도해 보세요. 자신을 사랑하는 마음이 곧 최고의 감성 스타일입니다.

2. 컬러별 감성스타일

컬러는 스타일링에서 가장 중요한 요소 중 하나입니다. 각 색상은 독특한 감정과 메시지를 전달하며, 이를 활용하면 감성적인 스타일링이 가능합니다. 자신에게 어울리는 컬러를 이해하고 활용하면 감각적이고 매력적인 이미지를 완성할 수 있습니다.

레드(Red)는 열정과 에너지를 상징하는 컬러입니다. 주목받고 싶을 때, 강렬한 이미지를 연출하고 싶을 때 활용하면 좋습니다. 레드 드레스나 립스틱은 자신감과 대담함을 강조하며, 파티나 공식적인 자리에서 효과적입니다.

블루(Blue)는 차분함과 신뢰를 상징합니다. 데님이나 블루 셔츠는 일상에서 편안하면서도 세련된 이미지를 줍니다. 특히 네이비 블루는 비즈니스 룩에서 전문성을 강조하는 데 유용합니다.

노랑(Yellow)는 활기와 창의성을 표현합니다. 밝고 생기 있는 이미지를 원할 때 활용할 수 있으며, 액세서리나 신발 같은 작은 아이템으로 포인트를 주기에 적합합니다.

녹색(Green)은 안정감과 조화를 상징하는 컬러로, 자연 친화적이고 편안한 이미지를 연출합니다. 카키 그린은 캐주얼하면서도 세련된 느낌을 주며, 포멀한 자리에서도 활용 가능합니다.

검정(Black)은 고급스러움과 권위를 상징하며, 어떤 스타일에서도 기본이 되는 컬러입니다. 슬림한 실루엣을 만들고 싶을 때나 우아한 이미지를 연출하고 싶을 때 블랙을 활용하세요.

컬러는 감정을 반영하고 전달하는 강력한 도구입니다. 자신에게 맞는 컬러를 활용해 감성적인 스타일링을 완성해 보세요. 매일의 색상 선택이 당신의 하루를 특별하게 만들어 줄 것입니다.

3. 패턴과 텍스처별 감성스타일

　패턴과 텍스처는 스타일링에서 디테일을 살리고 감성을 표현하는 중요한 요소입니다. 같은 아이템이라도 어떤 패턴이나 소재를 선택하느냐에 따라 완전히 다른 분위기를 연출할 수 있습니다. 패턴과 텍스처를 활용해 감성적인 스타일을 만들어보세요.

　패턴은 스타일의 분위기를 결정짓는 중요한 요소입니다. 플로럴 패턴은 부드럽고 로맨틱한 감성을 연출하며, 봄이나 여름철에 특히 잘 어울립니다. 반면, 체크 패턴은 클래식하면서도 캐주얼한 이미지를 주며, 재킷이나 스커트에 활용하면 매력적입니다. 스트라이프 패턴은 몸을 길어 보이게 하고 깔끔한 인상을 주는 데 효과적입니다. 예를 들어, 세로 스트라이프 셔츠는 비즈니스 룩에, 가로 스트라이프 티셔츠는 캐주얼 룩에 적합합니다.

　텍스처는 옷의 분위기를 좌우하는 또 다른 중요한 요소입니다. 부드럽고 고급스러운 이미지를 원한다면 실크나 새틴 소재를 선택하세요.

반면, 니트는 따뜻하고 편안한 감성을 주며, 가을과 겨울철 스타일링에 적합합니다. 데님은 캐주얼하면서도 트렌디한 느낌을 주는 소재로, 다양한 스타일에 활용 가능합니다. 또한, 레이스는 우아하고 여성스러운 분위기를 연출하는 데 이상적입니다.

패턴과 텍스처는 단순히 외형적인 요소가 아니라, 착용자의 감정을 반영하고 스타일링에 개성을 부여하는 도구입니다. 조화로운 패턴과 텍스처를 선택하여 자신만의 독특한 감성을 스타일로 표현해 보세요. 작은 디테일 하나하나가 당신의 전체 이미지를 완성해 줄 것입니다.

4. TPO별 감성스타일링

TPO(Time, Place, Occasion)는 상황에 맞는 스타일링의 핵심 요소로, 감성 스타일링에서도 중요한 기준이 됩니다. 시간, 장소, 그리고 상황에 따라 스타일링을 조정하면 적합성과 세련미를 동시에 충족할 수 있습니다.

시간(Time)은 계절과 날씨를 고려한 스타일링을 의미합니다. 여름에는 밝고 경쾌한 색상의 린넨 소재를, 겨울에는 따뜻한 니트와 울 코트를 활용하여 감각적인 계절감을 드러낼 수 있습니다. 아침 출근길에는 깔끔하고 실용적인 비즈니스 룩을, 저녁 모임에는 우아한 드레스를 선택하여 시간대에 따라 적절한 분위기를 연출하세요.

장소(Place)는 스타일 선택의 또 다른 중요한 기준입니다. 회사에서는 단정하고 신뢰감을 주는 비즈니스 캐주얼을 추천합니다. 네이비 재킷과 슬랙스는 전문성을 강조하며, 포인트 컬러의 스카프나 가방으로 감성을 더할 수 있습니다. 반면, 야외 모임이나 여행에서는 편안하면서도 실용적인 스타일이 중요합니다. 데님 팬츠와 루즈한 셔츠, 스니커즈는 자유로운 분위기를 연출합니다.

상황(Occasion)에 따라 감성 스타일링은 더욱 세심한 배려가 필요합니다. 중요한 프레젠테이션이나 공식적인 행사에서는 클래식한 드레스와 힐을 선택해 세련된 이미지를 강조하세요. 친구와의 캐주얼한 만남에서는 컬러풀한 액세서리나 독특한 프린트를 활용해 개성을 드러낼수 있습니다.

TPO에 맞는 감성 스타일링은 옷차림을 통해 자신감을 전달하는 방법입니다. 매 순간의 필요와 분위기를 고려해 스타일링한다면, 당신의 매력을 한층 더 돋보일 수 있습니다.

5. 소품과 액세서리별 감성스타일

    소품과 액세서리는 감성 스타일링의 완성도를 높이는 핵심적인 요소입니다. 작은 디테일이지만, 이를 적절히 활용하면 스타일에 생기를 더하고 독창성을 표현할 수 있습니다. 소품과 액세서리는 단순히 외형적인 장식이 아니라, 감정을 전달하고 개성을 드러내는 중요한 도구입니다.

    가방은 스타일의 중심을 잡아주는 아이템입니다. 비즈니스 환경에서는 깔끔한 블랙 또는 베이지 컬러의 토트백이 신뢰감을 줍니다. 반면, 캐주얼한 자리에서는 크로스백이나 백팩을 선택해 실용성을 더하세요. 컬러풀한 클러치백은 파티나 특별한 날에 감각적인 포인트가 됩니다.

    신발은 스타일의 무드를 결정짓는 중요한 요소입니다. 심플한 스니커즈는 편안하면서도 트렌디한 느낌을 주며, 힐은 우아함과 자신감을 더합니다. 여름철에는 샌들로 가벼운 감성을, 겨울에는 부츠로 따뜻하고 세련된 이미지를 연출할 수 있습니다.

주얼리는 스타일에 감성적인 터치를 더합니다. 진주 목걸이와 같은 클래식한 아이템은 우아함을 강조하며, 골드나 실버 액세서리는 심플하면서도 세련된 느낌을 줍니다. 캐주얼한 자리에서는 컬러풀한 귀걸이나 팔찌로 포인트를 줄 수 있습니다.

스카프와 모자는 계절과 상황에 따라 감각적으로 활용할 수 있습니다. 실크 스카프는 포멀한 자리에서 고급스러운 이미지를, 니트 모자는 추운 날 따뜻한 감성을 더합니다.

소품과 액세서리는 전체적인 스타일을 마무리하고 감성을 표현하는 강력한 도구입니다. 당신의 스타일에 맞는 아이템을 선택해 디테일로 감성을 표현해 보세요. 스타일의 작은 변화가 큰 차이를 만들어 줄 것입니다.

6. 메이크업과 헤어 스타일별 감성스타일

　메이크업과 헤어 스타일은 감성 스타일링에서 중요한 역할을 합니다. 옷차림과 조화를 이루는 메이크업과 헤어 스타일은 우리의 이미지를 강화하고, 감정을 표현하는 데 도움을 줍니다. 각 상황과 기분에 맞는 연출로 독창적이고 감각적인 스타일을 완성할 수 있습니다.

　메이크업은 감정을 시각적으로 전달하는 강력한 도구입니다. 자연스러운 룩이 필요한 날에는 미니멀 메이크업을 추천합니다. 촉촉한 피부 표현과 소프트 브라운 계열의 아이섀도, 누드 립스틱은 깔끔하면서도 부드러운 인상을 줍니다. 반대로, 강렬하고 자신감 있는 이미지를 원할 때는 레드 립스틱과 아이라이너를 활용해 포인트를 주는 메이크업이 효과적입니다. 블러셔는 건강한 생기를 더해주는 중요한 요소로, 피치나 로즈 컬러를 선택하면 따뜻하고 사랑스러운 이미지를 연출할 수 있습니다.

헤어 스타일은 전체적인 스타일링을 완성하는 마지막 퍼즐입니다. 업스타일은 격식을 갖춘 자리에서 우아함을 강조하며, 특히 낮은 번은 세련된 이미지를 만듭니다. 웨이브 헤어는 부드럽고 로맨틱한 분위기를, 스트레이트 헤어는 모던하고 깔끔한 인상을 줍니다. 짧은 헤어 스타일은 자유롭고 개성적인 감성을 표현할 때 적합합니다.

메이크업과 헤어 스타일은 우리의 감정을 직관적으로 보여주는 표현 도구입니다. 스타일링과 조화를 이룰 때, 메이크업과 헤어는 우리의 이미지를 한층 더 감각적이고 매력적으로 만들어줍니다. 자신의 기분과 스타일에 맞춰 연출하면 감성적 매력이 배가될 것입니다.

7. 계절별 감성스타일

계절은 스타일링의 방향을 결정짓는 중요한 요소입니다. 각 계절의 특성과 분위기를 반영한 감성 스타일은 자연과 조화를 이루며, 당신의 매력을 한층 더 돋보이게 만듭니다.

봄은 새로움과 생동감이 넘치는 계절입니다. 화사한 컬러와 가벼운 소재가 어울리는 계절로, 파스텔 톤의 셔츠나 플로럴 패턴 드레스가 적합합니다. 얇은 트렌치코트나 라이트 카디건은 봄의 변덕스러운 날씨에 대비하면서도 스타일리시한 선택이 될 수 있습니다. 액세서리로는 가벼운 스카프나 작은 클러치백이 봄의 상쾌한 분위기를 더합니다.

여름은 밝고 활기찬 스타일이 돋보이는 계절입니다. 린넨 셔츠, 데님 쇼츠, 슬리브리스 톱 등 통기성이 좋은 옷을 선택하세요. 화이트와 블루 컬러는 여름의 청량함을, 옐로나 오렌지 같은 따뜻한 톤은 활기를 더해줍니다. 샌들이나 밀짚 모자는 여름 스타일의 필수 아이템입니다.

가을은 따뜻하고 깊은 톤의 스타일이 어울리는 계절입니다. 브라운, 버건디, 머스터드 같은 컬러가 가을의 감성을 담아냅니다. 체크 패턴이나 니트 소재를 활용해 포근하고 세련된 이미지를 연출하세요. 가죽 부츠와 크로스백은 가을 스타일에 클래식한 터치를 더합니다.

겨울은 레이어링과 고급스러운 소재가 빛을 발하는 계절입니다. 울 코트, 니트 스웨터, 가죽 재킷 등 보온성과 스타일을 모두 갖춘 아이템을 활용하세요. 블랙, 그레이, 네이비 같은 뉴트럴 컬러는 겨울 특유의 차분한 분위기와 잘 어울립니다. 머플러와 장갑은 실용적이면서도 세련된 겨울 액세서리입니다.

계절에 맞는 감성 스타일링은 자연과 조화를 이루며 당신의 매력을 극대화합니다. 각 계절의 특성을 반영한 스타일로 당신만의 감성적인 룩을 완성해 보세요.

3부
감성스타일 코디법

퍼스널 컬러와 감성스타일

    우리의 외모와 스타일은 단순히 겉모습을 꾸미는 것을 넘어, 내면의 감정과 개성을 표현하는 중요한 방식입니다. 이 과정에서 퍼스널 컬러는 자신의 자연스러운 매력을 극대화하고, 감성을 더한 스타일링을 완성하는 데 큰 역할을 합니다. 퍼스널 컬러와 감성 스타일의 만남은 단순한 외적 변화가 아니라, 자신을 더 깊이 이해하고 삶을 더 풍요롭게 만드는 여정을 의미합니다.

    퍼스널 컬러는 개인의 피부 톤, 눈 색깔, 머리 색깔과 조화를 이루는 색상군으로, 나만의 색을 통해 외모를 돋보이게 하고 생기 있는 이미지를 만들어줍니다. 퍼스널 컬러는 크게 웜톤(Warm Tone)과 쿨톤(Cool Tone)으로 나뉘며, 이를 더욱 세분화하면 봄, 여름, 가을, 겨울로 구분되는 사계절 컬러 이론으로 정리할 수 있습니다.

- 봄 컬러는 따뜻하고 밝은 색상군으로, 경쾌하고 신선한 이미지를

만듭니다.

- 여름 컬러는 부드럽고 차분한 쿨톤의 색상군으로, 우아하고 세련된 분위기를 만듭니다.
- 가을 컬러는 풍부하고 따뜻한 색상군으로, 안정적이고 따뜻한 이미지를 강조합니다.
- 겨울 컬러는 선명하고 강렬한 색상군으로, 고급스럽고 강한 대비를 통해 자신감을 표현합니다.

퍼스널 컬러는 단순히 외형적인 조화를 넘어, 우리의 감정을 표현하고 내면의 아름다움을 외적으로 드러내는 데 도움을 줍니다. 예를 들어, 기쁨과 활력을 표현하고 싶다면 퍼스널 컬러 팔레트에서 밝고 생동감 있는 색상을 선택할 수 있습니다. 반대로 차분함과 안정감을 전달하고 싶다면 부드럽고 은은한 색상을 활용한 스타일링이 적합합니다. 이렇게 퍼스널 컬러를 감성적으로 활용하면, 우리의 스타일은 단순히 멋진 이미지를 넘어서 나만의 이야기를 전달하는 언어가 됩니다.

퍼스널 컬러는 또한 자신만의 감성 스타일을 정의하는 데 중요한 역할을 합니다. 패션, 메이크업, 헤어 스타일, 액세서리에 이르기까지, 퍼스널 컬러는 우리의 선택에 일관성과 조화를 더해줍니다. 이로 인해 우리는 더 자연스럽고 자신감 있는 모습을 연출할 수 있으며, 다양한 상황에서 빛날 수 있는 스타일을 완성할 수 있습니다.

퍼스널 컬러와 감성 스타일은 단순한 외적 꾸밈이 아니라, 자신을 이해하고 표현하는 방식입니다. 자신의 컬러를 찾는다는 것은 나만의 개성을 발견하고, 이를 통해 삶의 순간순간을 더욱 풍요롭게 만드는 과정입니다. 퍼스널 컬러를 활용한 감성 스타일은 내면과 외면의 아름다움을 조화롭게 연결하며, 자신만의 특별한 이야기를 세상에 전할 수 있는 힘을 제공합니다.

이 책에서는 감성 스타일의 코디를 네 가지로 구체적으로 설명하며, 각각의 스타일이 지닌 고유한 매력과 특징을 소개합니다. 이를 통해 독자들이 자신만의 개성과 감성을 효과적으로 표현할 수 있도록 돕고, 다양한 상황에서 활용 가능한 스타일링 아이디어를 제공합니다. 각 스타일은 단순한 외형적 꾸밈을 넘어, 착용자의 내면적 감성과 조화를 이루며 일상생활 속에서 자신만의 매력을 더욱 돋보이게 합니다. 스타일별로 어울리는 색상, 소재, 패턴뿐 아니라 적합한 상황과 액세서리 선택에 이르기까지 세심한 가이드를 제시하여 독자들이 실용적이고 감각적인 코디를 완성할 수 있도록 돕습니다.

우아하고 여성스러운 스타일 (Elegant & Feminine)
우아하고 여성스러운 스타일은 세련미와 부드러움을 겸비한 매력을 발산합니다. 레이스, 실크, 새틴 같은 고급스러운 소재와 부드러운 곡선이 특징으로, 보는 이들에게 섬세하고 안정된 인상을 줍니다. 뉴트럴 톤이나 파스텔 컬러를 주로 사용하며, 플로럴 패턴, 프릴, 리본 디테일로 로맨틱한 분위기를 더합니다. 미디 또는 맥시 길이의 드레스와 슬림한 재킷, 펌프스, 진주 목걸이 같은 액세서리 조합이 핵심입니다.

이 스타일은 데이트, 결혼식, 파티 같은 특별한 날에 적합하며, 중요한 비즈니스 디너나 공연 관람에서도 격식을 갖춘 이미지를 연출합니다. 착용자의 내면 품위를 반영하여 단순히 외형적 아름다움을 넘어서고자 합니다. 우아한 스타일로 섬세한 디테일을 활용해 당신의 고유한 매력을 빛내보세요.

모던하고 세련된 스타일 (Modern & Chic)

모던하고 세련된 스타일은 간결함과 도시적 감각을 강조하며 자신감을 표현합니다. 모노크롬 컬러나 강렬한 포인트 컬러를 활용해 깔끔하고 대담한 분위기를 조성합니다. 구조적인 재킷, 슬랙스, 미니멀한 드레스 등은 필수 요소이며, 메탈릭 액세서리나 스트럭처드 백으로 고급스러움을 더합니다.

비즈니스 회의, 면접, 도시의 저녁 모임 등에서 전문성과 세련미를 강조할 때 적합합니다. 이 스타일은 실용적이면서도 강렬한 인상을 남겨, 감각적이면서도 자신감 있는 모습을 연출합니다. 현대적이고 정제된 스타일로 당신의 존재감을 한층 더 돋보이게 만들어 보세요.

캐주얼하고 자유로운 스타일 (Casual & Relaxed)

캐주얼하고 자유로운 스타일은 자연스러움과 편안함을 동시에 추구합니다. 데님, 코튼, 니트 같은 소재와 루즈 핏 셔츠, 스니커즈를 매치해 일상에서 부담 없이 활용 가능합니다. 체크 패턴, 스트라이프 같은 디테일로 개성을 더하며, 크로스백, 백팩 같은 실용적인 액세서리가 완성도를 높입니다.

이 스타일은 쇼핑, 산책, 여행 등 일상적이고 활동적인 상황에 적합합니다. 자연스럽고 편안한 감각으로 당신의 개성을 표현하며, 내추럴한 매력을 최대한 살려줍니다. 부담 없이 멋을 낼 수 있는 이 스타일로 일상을 즐겨보세요.

보헤미안 감성 스타일 (Bohemian & Artistic)

보헤미안 감성 스타일은 예술성과 창의성을 반영하며 빈티지한 매력을 발산합니다. 에스닉 프린트, 프린지, 수공예 디테일을 활용해 자연친화적이고 자유로운 분위기를 연출합니다. 플로우 드레스나 와이드 팬츠, 루스한 카디건과 브라운, 테라코타 계열의 자연색이 이 스타일의 특징입니다.

야외 페스티벌, 예술 전시회, 자연에서 휴식에 잘 어울리며, 여행이나 편안한 주말 룩으로도 적합합니다. 예술적인 감각과 독창성을 강조하고 싶다면, 보헤미안 스타일로 당신의 자유로운 영혼을 표현해 보세요.

1. 우아하고 여성스러운 스타일
(Elegant & Feminine)

키워드: 우아함, 로맨틱, 부드러움, 클래식

우아하고 여성스러운 스타일은 부드러운 곡선과 고급스러운 소재를 통해 섬세함과 아름다움을 표현하는 스타일입니다. 클래식하면서도 세련된 느낌을 강조하며, 절제된 디테일과 깔끔한 실루엣으로 보는 이들에게 안정감과 고급스러움을 전달합니다. 이 스타일은 로맨틱한 분위기와 함께 여성스러움을 한껏 살려주는 것이 특징입니다.

코디 요소

우아한 스타일은 레이스, 실크, 새틴 같은 고급스러운 소재를 사용하여 부드럽고 자연스러운 실루엣을 만들어냅니다. 파스텔 톤이나 뉴트럴 컬러를 주로 활용하고, 여기에 플로럴 패턴, 프릴, 리본 디테일을 더해 섬세함을 강조합니다. 펌프스와 진주 목걸이, 작은 클러치백 같은 액세서리는 이 스타일의 필수 요소입니다. 드레스는 미디 길이 또는 맥시 길이로 선택하며, 슬림한 라인이 돋보이는 재킷이나 카디건으로 마무리하면 완벽합니다.

적합한 상황

우아한 스타일은 데이트, 결혼식, 파티 같은 특별한 날에 적합하며, 공식적인 자리에서도 매력을 발산합니다. 예를 들어, 중요한 비즈니스 디너나 예술 공연을 관람할 때 이 스타일을 활용하면 세련되고 격식 있는 이미지를 연출할 수 있습니다. 또한, 사진 촬영이나 소셜 이벤트와 같이 자신을 돋보이고 싶은 순간에도 이 스타일은 자신감을 높여줍니다.

우아하고 여성스러운 스타일은 단순히 외형적 아름다움을 넘어, 착용자의 내면에서 우러나오는 품위와 세련미를 강조합니다. 당신의 매력을 한층 더 빛내줄 이 스타일을 통해 진정한 우아함을 느껴보세요.

1. 우아하고 여성스러운 스타일: 스트랩 원피스

　이 스타일은 여름 여행을 위한 완벽한 룩입니다. 쉬폰과 시스루 망사 소재의 원피스는 가벼우면서도 우아한 느낌을 줍니다. 화이트와 그린 컬러의 조화가 시원하면서도 눈에 띄며, 플로럴 패턴이 여성스러움을 강조합니다. 그린 카디건은 포인트가 되면서도 보온성을 더해줍니다. 모자는 햇빛을 차단해 주면서 스타일리시한 요소를 추가합니다. 슬리퍼는 편안하고 캐주얼한 느낌을 줍니다.

전체적으로 쿨톤에 잘 어울리는 컬러 조합과 가벼운 소재 사용이 돋보입니다. 가디건의 길이와 원피스의 비율이 약간 애매할 수 있습니다. 가디건이 너무 길면 원피스의 허리선이 묻혀버릴 수 있습니다. 또한, 슬리퍼의 디자인이 다소 단조로워 보일 수 있습니다. 보다 독특한 디자인의 슬리퍼나 샌들을 선택하면 더욱 스타일리시해질 것입니다.

이 룩은 쿨톤 컬러가 잘 어울리므로 그린과 화이트를 주로 사용한 것이 좋습니다. 가디건 대신 짧은 길이의 재킷이나 블레이저를 매치하면 원피스의 비율이 더 잘 살아날 수 있습니다. 또한, 다양한 악세사리를 활용해 포인트를 주는 것도 좋은 방법입니다. 예를 들어, 화이트나 실버 컬러의 팔찌나 목걸이를 추가하면 전체적인 룩이 더 세련되어 보일 것입니다.

카디건을 탈착할 때는 얇은 스카프를 함께 매치해 색다른 연출을 해보는 것도 좋습니다. 스카프는 가방에 묶어 포인트로 활용할 수도 있습니다. 슬리퍼 대신 스트랩 샌들이나 에스파드리유를 신으면 여행지에서 더 활동적으로 움직일 수 있을 것입니다.

스타일 코칭: 헤어 스타일 추천

이 스타일에는 자연스럽고 편안한 헤어 스타일이 잘 어울립니다. 내추럴 웨이브나 소프트한 컬링 스타일로 부드럽고 여성스러운 분위기를 연출해보세요. 긴 머리라면 반묶음 스타일도 추천합니다. 이는 얼굴을 더 밝고 시원하게 보이게 합니다. 머리를 묶을 때는 헤어밴드나 헤어핀을 사용해 포인트를 주는 것도 좋습니다.

모자를 착용할 때는 너무 단정하게 머리를 묶기보다는 약간 흐트러진 느낌으로 연출해 자연스러움을 강조하는 것이 좋습니다. 짧은 머리라면 깔끔하게 스타일링한 뒤, 모자로 마무리해주면 됩니다. 이때 모자와 헤어 스타일의 조화가 중요하므로, 모자의 스타일에 맞춰 적절하게 헤어를 연출하는 것이 좋습니다.

스타일 코칭: 메이크업 추천

이 스타일에는 자연스럽고 상쾌한 느낌의 메이크업이 잘 어울립니다. 피부는 가볍고 산뜻하게 표현하고, 쿠션 파운데이션이나 BB크림을 사용해 자연스러운 톤업 효과를 주는 것이 좋습니다. 아이메이크업은 베이지나 브라운 계열의 섀도로 자연스러운 음영을 주고, 아이라이너는 얇고 섬세하게 그려 눈매를 또렷하게 만들어주세요. 마스카라는 워터프루프 제품을 사용해 번지지 않도록 합니다.

볼터치는 연한 핑크나 코랄 톤으로 생기를 주고, 립메이크업은 글로시한 립밤이나 틴트를 사용해 자연스럽게 마무리합니다. 눈썹은 자연스럽게 정리하고, 눈썹 마스카라를 사용해 컬러를 맞춰줍니다. 전체적으로 과하지 않으면서도 건강한 느낌을 주는 메이크업이 이 스타일과 잘 어울립니다.

스타일 코칭: 추가 아이템

신발은 현재 착용한 슬리퍼 대신 스트랩 샌들이나 에스파드리유를 추천합니다. 스트랩 샌들은 발목을 잡아주어 활동성을 높여주며, 에스파드리유는 여행지에서의 여유로운 느낌을 잘 살려줍니다. 컬러는 화이트나 베이지 톤으로 맞춰 전체적인 룩과 조화롭게 매치하는 것이 좋습니다.

가방은 크로스백이나 숄더백을 추천합니다. 크로스백은 실용적이면서도 스타일리시한 아이템으로, 여행지에서 편리하게 사용할 수 있습니다. 컬러는 그린이나 화이트 계열로 맞춰 통일감을 주면 좋습니다.

모자는 현재 착용한 밀짚모자가 매우 잘 어울립니다. 여기에 스카프를 추가로 매치하면 더욱 세련된 느낌을 줄 수 있습니다. 얇은 스카프를 가방에 묶거나, 목에 살짝 둘러 포인트로 활용해보세요. 악세사리는 심플한 실버나 골드 톤의 팔찌와 목걸이를 추천합니다. 너무 화려하지 않으면서도 은은한 포인트가 되어 전체적인 룩을 한층 더 완성도 있게 만들어줄 것입니다.

마지막으로 선글라스를 추가하면 여름 여행 룩으로 완벽합니다. 선글라스는 얼굴형에 맞는 디자인을 선택하고, 기본적인 블랙이나 브라운 컬러를 추천합니다. 이 모든 요소들이 조화를 이루면 더욱 스타일리시하고 완성도 높은 여행룩이 될 것입니다.

2. 우아하고 여성스러운 스타일: 도트블라우스 & 니트원피스

이 룩은 여름철 비치룩으로 매우 적합합니다. 폴카 도트 패턴의 시폰 블라우스와 니트 소재의 민소매 원피스가 시원하면서도 세련된 느낌을 줍니다. 블랙과 화이트의 기본 컬러 조합은 고급스럽고 깔끔한 인상을 주며, 도트 패턴이 포인트가 되어 단조로움을 피했습니다. 블라우스를 묶어서 허리선을 강조한 것이 전체적으로 슬림한 실루엣을 만들어 줍니다. 밀짚 모자는 햇빛을 차단해주면서 동시에 스타일리시한 느낌을 더해줍니다. 플랫 샌들은 편안함과 더불어 캐주얼한 분위기를 살려줍니다.

스타일 코칭

이 룩을 좀 더 돋보이게 하기 위해 몇 가지 팁을 드립니다. 첫째, 블라우스를 묶는 대신에 안에 입은 원피스의 허리 라인을 강조하는 벨트를 추가하면 전체적인 스타일이 더 정돈된 느낌을 줄 수 있습니다. 둘째, 밀짚 모자는 굉장히 잘 어울리지만, 좀 더 넓은 챙이 있는 모자를 선택하면 얼굴을 더 잘 보호하고 스타일링에 멋을 더할 수 있습니다. 셋째, 악세사리를 추가하여 룩을 완성할 수 있습니다. 긴 목걸이나 큰 귀걸이는 시선을 얼굴로 집중시키며, 룩을 더 화려하게 만들 수 있습니다. 마지막으로, 컬러풀한 스카프를 목에 가볍게 두르면 전체적인 코디에 포인트가 됩니다.

헤어 스타일 추천

이 룩에 어울리는 헤어 스타일로는 자연스러운 웨이브 헤어가 좋습니다. 바닷바람에 살짝 흩날리는 느낌의 루즈한 웨이브는 비치룩의 자유로운 분위기와 잘 어울립니다. 만약 긴 머리라면 반 묶음 헤어 스타일을 시도해 보세요. 이는 시원하면서도 여성스러운 느낌을 줍니다. 숏컷이라면, 자연스럽게 헝클어진 듯한 스타일링을 추천합니다. 이를 위해 스타일링 제품을 사용해 볼륨을 살려주고, 약간의 텍스처를 더해주면 더 스타일리시해 보일 수 있습니다.

메이크업 추천

메이크업은 자연스럽고 가벼운 느낌을 추천합니다. 기본적으로 피부는 가볍게 톤업 크림이나 BB크림을 사용해 자연스럽게 커버하고, 과한 파우더 사용은 피하는 것이 좋습니다. 눈매는 브라운 계열의 아이섀도로 부드럽게 음영을 주고, 아이라인은 얇게 그려 자연스러운 눈매를 강조합니다. 마스카라는 방수 제품을 사용해 바닷가에서도 번지지 않게 합니다. 블러셔는 피치 혹은 코랄 계열로 건강하고 생기 있는 느낌을 주고, 립은 글로시한 립 틴트를 사용해 촉촉하고 생기 있는 입술을 연출합니다.

추가 아이템 추천

신발은 현재 착용하고 있는 플랫 샌들은 편안하면서도 캐주얼한 느낌을 줍니다. 그러나 스타일을 업그레이드하고 싶다면 웨지 힐 샌들이나 플랫폼 샌들을 추천합니다. 웨지 힐 샌들은 편안함과 함께 키 높이 효과를 주어 다리를 길고 날씬하게 보이게 합니다. 여름철에는 에스파드리유 웨지 힐 샌들이 특히 인기 있으며, 다양한 컬러와 디자인이 있어 선택의 폭이 넓습니다. 플랫폼 샌들은 안정적인 착용감을 제공하면서도 트렌디한 느낌을 줍니다. 편안한 착용감을 위해 쿠션이 있는 제품을 선택하면 좋습니다. 또한, 발등을 감싸는 스트랩 디자인은 스타일 리시함과 동시에 발을 안정적으로 잡아줍니다.

가방은 비치룩에 어울리는 가방으로는 라탄 소재의 크로스백이나 토 트백을 추천합니다. 라탄 소재는 자연스러운 느낌을 주며, 여름철 해변 과 잘 어울립니다. 크로스백은 손을 자유롭게 해주어 편리하며, 실용성 을 더해줍니다. 토트백은 수납공간이 넉넉해 해변에서 필요한 물건들 을 충분히 담을 수 있습니다. 특히, 내구성이 좋은 라탄 토트백은 스타 일리시하면서도 실용적인 선택입니다. 컬러는 베이지나 브라운 계열이 무난하며, 어떤 옷과도 잘 어울립니다. 내부에 작은 포켓이 있는 디자 인을 선택하면 소지품을 정리하기에 더욱 편리합니다.

악세사리는 비치룩을 완성하는 데 중요한 악세사리로는 큰 썬글라스 를 추천합니다. 큰 썬글라스는 얼굴을 보호해줄 뿐만 아니라, 스타일리 시한 느낌을 더해줍니다. 검은색이나 갈색의 클래식한 디자인은 어떤 옷에도 잘 어울리며, 특히 바닷가에서 햇빛을 차단하는 데 효과적입니 다. 또한, 손목에 가벼운 팔찌나 발찌를 추가하면 자유롭고 캐주얼한 분위기를 강조할 수 있습니다. 비치 파라솔이나 큰 비치 타월은 해변 에서의 편의성을 높여줍니다. 파라솔은 햇빛을 차단해주고, 비치 타월 은 편안하게 누워 쉴 수 있게 해줍니다. 이러한 아이템들은 실용성과 함께 스타일을 한층 업그레이드 시켜줍니다.

3. 우아하고 여성스러운 스타일: 스트라이프 원피스 & 트렌치코트

스타일 평가

이 모임룩은 웜톤 컬러를 기반으로 한 스트라이프 원피스와 트렌치코트의 조화로운 조합이 돋보입니다. 레드와 화이트 스트라이프 패턴의 원피스는 생기 있고 스타일리시한 느낌을 주며, 시각적으로 길고 날씬한 실루엣을 만들어줍니다. 베이지 컬러의 트렌치코트는 클래식하고 다양한 스타일에 잘 어울리며, 여유로운 실루엣과 스트라이프 원피스의 슬림한 라인이 균형 잡힌 실루엣을 연출합니다. 소매를 살짝 접어 원피스의 스트라이프 패턴을 드러내는 스타일링이 디테일을 더해줍니다. 웜톤의 베이지와 레드는 따뜻하고 부드러운 느낌을 주며, 가을과 봄철에 특히 잘 어울립니다. 이 룩은 친목 모임, 캐주얼한 저녁 식사, 가벼운 외출 등 다양한 상황에서 편안하면서도 세련된 분위기를 연출할 수 있습니다. 안정감 있고 조화로운 스타일로, 누구나 쉽게 시도할 수 있는 모임룩의 좋은 예입니다.

스타일 코칭

베이지나 브라운 컬러의 크로스백이나 토트백을 매치하면 전체적인 톤과 어우러져 자연스럽고 세련된 느낌을 줍니다. 신발은 화이트 스니커즈나 브라운 로퍼를 추천하며, 캐주얼하면서도 스타일리시한 마무리를 할 수 있습니다. 골드 톤의 심플한 귀걸이와 목걸이는 웜톤과 조화를 이뤄 세련된 포인트가 됩니다. 헤어 스타일은 자연스러운 웨이브나 로우 번 스타일이 잘 어울리며, 편안하면서도 세련된 느낌을 줍니다. 메이크업은 웜톤 베이지 계열의 파운데이션으로 자연스러운 피부를 표현하고, 브라운 계열의 아이섀도우와 마스카라로 눈매를 또렷하게 강조합니다. 코랄이나 피치 컬러의 립스틱을 사용하여 생기 있는 룩을 완성하면, 편안하면서도 세련된 데일리룩으로 외출이나 가벼운 모임에 적합합니다.

헤어 스타일 추천과 스타일링

이 모임룩에 어울리는 헤어 스타일로는 자연스러운 웨이브와 로우 번을 추천합니다. 자연스러운 웨이브는 부드럽게 흐르는 컬이 얼굴을 감싸며, 캐주얼하면서도 우아한 느낌을 줍니다. 특히 스트라이프 원피스와 트렌치코트의 조합에 생기를 더해줍니다. 웨이브를 유지하려면 텍스처 스프레이를 사용해 볼륨을 주고, 끝부분을 부드럽게 말아주는 것이 좋습니다. 또 다른 추천 스타일은 로우 번입니다. 로우 번은 깔끔하고 단정한 느낌을 주며, 트렌치코트의 클래식한 스타일과 잘 어울립니다. 이 스타일은 격식 있는 자리나 포멀한 모임에 적합합니다. 로우 번을 만들 때는 헤어 오일을 사용해 머릿결을 정돈하고, 자연스럽게 느슨하게 묶어 부드러운 실루엣을 연출하는 것이 좋습니다. 두 가지 헤어 스타일 모두 모임룩에 적합하며, 상황에 맞게 선택하여 다양한 분위기를 연출할 수 있습니다.

메이크업 추천과 스타일링

이 모임룩에 어울리는 메이크업으로는 웜톤 베이지 계열의 파운데이션을 사용해 자연스럽고 건강한 피부 표현을 추천합니다. 브라운 계열의 아이섀도우와 마스카라로 눈매를 또렷하게 강조하고, 눈썹을 자연스럽게 정돈하여 부드러운 인상을 줍니다. 블러셔는 소프트한 핑크나 피치 톤으로, 얼굴에 생기를 더합니다. 립스틱은 코랄이나 피치 컬러를 사용하여 생동감 있는 룩을 완성합니다. 골드 톤의 심플한 귀걸이와 목걸이는 전체적인 웜톤과 조화를 이루며, 얼굴에 화사한 포인트를 줍니다. 메이크업을 마무리할 때는 미스트를 뿌려 촉촉함을 유지하면, 더욱 자연스럽고 건강한 피부 표현이 가능합니다. 이 메이크업 스타일은 편안하면서도 세련된 모임룩에 잘 어울리며, 다양한 상황에서 우아하고 세련된 이미지를 연출할 수 있습니다.

추가 아이템 추천:신발

이 모임룩에는 브라운 로퍼가 가장 잘 어울립니다. 브라운 로퍼는 클래식하고 세련된 분위기를 주어 스트라이프 원피스와 베이지 트렌치코트의 조합에 완벽하게 맞아떨어집니다. 이 신발은 편안함을 유지하면서도 격식 있는 자리나 단정한 룩이 필요할 때 적합합니다. 또한, 브라운 컬러는 다양한 색상과 잘 어울리기 때문에 계절과 상관없이 활용도가 높습니다. 또 다른 옵션으로는 화이트 스니커즈를 추천합니다. 화이트 스니커즈는 캐주얼한 느낌을 주어, 편안한 모임에 적합합니다. 이 두 가지 신발 옵션은 모두 트렌치코트와 원피스의 조합을 더욱 돋보이게 해 줄 것입니다.

추가 아이템 추천: 가방

베이지나 브라운 컬러의 크로스백을 추천합니다. 이 컬러들은 트렌치코트와 자연스럽게 어우러져 전체적인 톤을 맞추어줍니다. 크로스백은 실용적이면서도 스타일리시한 아이템으로, 모임룩에 잘 어울립니다. 크로스백은 손이 자유로워 활동하기 편리하며, 적당한 수납공간으로 필요한 소지품을 간편하게 휴대할 수 있습니다. 또 다른 옵션으로는 작은 크기의 토트백을 고려해볼 수 있습니다. 토트백은 조금 더 포멀한 느낌을 줄 수 있어 격식 있는 자리에서도 활용할 수 있습니다. 특히, 가죽 소재의 토트백은 고급스러운 느낌을 더해주어 룩의 완성도를 높여줍니다. 이 두 가지 가방은 모두 다양한 상황에서 유용하게 사용할 수 있는 아이템입니다.

추가 아이템 추천: 액세서리

골드 톤의 심플한 귀걸이와 목걸이를 추천합니다. 골드 톤의 액세서리는 웜톤 컬러의 스트라이프 원피스와 트렌치코트와 잘 어울리며, 얼굴에 화사한 포인트를 줄 수 있습니다. 심플한 디자인의 귀걸이는 과하지 않으면서도 세련된 느낌을 줍니다. 목걸이는 짧은 체인 타입을 선택해 목선을 강조하면 더욱 깔끔하고 세련된 이미지를 연출할 수 있습니다. 또 다른 옵션으로는 얇은 팔찌를 추가하는 것입니다. 골드나 브라운 톤의 얇은 팔찌는 손목에 은은한 포인트를 주어 전체적인 스타일에 세련된 느낌을 더해줍니다. 이 세 가지 액세서리는 모두 과하지 않으면서도 룩의 완성도를 높여줄 수 있는 아이템들입니다.

4. 우아하고 여성스러운 스타일: 링클원피스 & 스카프

스타일 평가

네이비 컬러의 셔링 롱원피스는 매우 세련되고 단정한 인상을 줍니다. 면폴리 혼방 소재로 제작되어 착용감이 좋고, 주름이 잘 생기지 않아 관리가 용이합니다. 셔링 디테일은 허리를 강조하며 자연스럽게 여성스러운 실루엣을 만들어 줍니다. 긴 소매와 차분한 네이비 컬러가 고급스러우면서도 단아한 느낌을 더해줍니다. 플리츠 스카프는 원피스의 단순한 디자인에 약간의 텍스처와 스타일을 더해주며, 전체적인 룩에 세련된 포인트를 줍니다. 발목까지 오는 길이의 원피스는 적당히 포멀하면서도 편안한 느낌을 주어 다양한 모임에서 활용하기 좋습니다. 슈즈는 장식이 달린 플랫 슈즈로 선택되어, 편안하면서도 우아한 스타일을 완성합니다. 이 룩은 특히 쿨톤의 피부색을 가진 사람들에게 잘 어울리며, 차분하고 세련된 분위기를 연출하기에 적합합니다. 다양한 액세서리와 매치해도 과하지 않고, 각종 모임이나 행사에서 돋보일 수 있는 스타일입니다.

스타일 코칭

이 스타일을 더욱 완성도 있게 만들기 위해 몇 가지 추가적인 팁을 제공하겠습니다. 첫째, 네이비 원피스에 잘 어울리는 실버나 진주 액세서리를 추가해보세요. 특히 귀걸이와 팔찌는 간결하면서도 포인트가 되는 디자인을 선택하면 좋습니다. 둘째, 가방은 세련된 미니멀 디자인의 클러치백이나 숄더백을 추천합니다. 실버나 그레이 컬러가 전체적인 룩과 잘 어울릴 것입니다. 셋째, 자연스러운 웨이브나 깔끔한 업스타일 헤어를 선택해 전체적인 스타일의 완성도를 높일 수 있습니다. 마지막으로, 메이크업은 톤 다운된 색감의 립스틱과 차분한 아이 메이크업으로 균형을 맞추세요. 이렇게 하면 모임에서 더욱 돋보일 수 있는 완벽한 스타일을 완성할 수 있을 것입니다.

헤어 스타일 추천과 스타일링

이 네이비 셔링 롱원피스와 잘 어울리는 헤어 스타일은 자연스럽고 세련된 느낌을 주는 것이 중요합니다. 자연스러운 웨이브 헤어 스타일은 원피스의 여성스러운 실루엣과 잘 어우러져 부드러운 인상을 줍니다. 자연스러운 웨이브는 얼굴을 더욱 작아 보이게 하며, 전체적으로 따뜻하고 편안한 분위기를 연출합니다. 긴 머리라면 느슨한 웨이브를 추천하며, 단발 머리라면 부드러운 컬을 넣어 자연스러운 볼륨감을 살려주는 것이 좋습니다.

업스타일은 좀 더 포멀한 느낌을 주고 싶을 때 적합합니다. 깔끔하게 올린 포니테일이나 낮게 묶은 번 스타일은 단정하면서도 우아한 이미지를 완성할 수 있습니다. 업스타일을 선택할 경우, 몇 가닥의 잔머리를 내려 자연스럽게 연출하면 더욱 세련된 느낌을 줄 수 있습니다. 액세서리로는 작은 진주 핀이나 실버 헤어 클립을 사용해 포인트를 주는 것도 좋은 방법입니다.

이렇게 자연스러운 웨이브나 깔끔한 업스타일은 네이비 원피스와 잘 어울리며, 어떤 모임에서도 돋보일 수 있는 완벽한 헤어 스타일을 만들어 줄 것입니다. 전체적인 스타일의 균형을 맞추기 위해 헤어 스타일에도 신경을 쓰는 것이 중요합니다.

메이크업 추천과 스타일링

네이비 셔링 롱원피스와 어울리는 메이크업은 차분하면서도 세련된 느낌을 줄 수 있는 톤 다운된 색감을 사용하는 것이 좋습니다. 먼저, 피부 톤을 균일하게 만들어주는 베이스 메이크업을 추천합니다. 자연스러운 광택을 주는 파운데이션을 사용해 피부를 깨끗하게 표현한 후, 약간의 하이라이터로 광대뼈와 코 끝에 포인트를 주어 얼굴에 입체감을 더해줍니다.

눈 메이크업은 브라운 계열의 아이섀도우를 사용해 자연스러운 음영을 주는 것이 좋습니다. 브라운이나 그레이 컬러의 아이라이너로 눈매를 또렷하게 하고, 마스카라로 속눈썹을 길고 풍성하게 연출합니다. 이렇게 하면 눈이 더욱 커 보이고 인상이 또렷해집니다.

립 메이크업은 로즈 베이지나 톤 다운된 레드 컬러를 사용해 차분하면서도 세련된 느낌을 줍니다. 립 라인을 깔끔하게 그려주고, 매트한 립스틱을 사용하면 오래 지속되는 메이크업을 완성할 수 있습니다. 블러셔는 자연스러운 핑크톤이나 로즈톤을 선택해 볼에 자연스럽게 발라줍니다. 이렇게 톤 다운된 색감을 사용한 메이크업은 네이비 원피스와 잘 어울리며, 차분하고 고급스러운 이미지를 완성할 수 있습니다. 모임이나 행사에서도 돋보일 수 있는 메이크업을 연출해 보세요.

추가 아이템 추천: 신발

이 네이비 셔링 롱원피스에 어울리는 신발로는 다양한 선택이 가능합니다. 먼저, 고급스러운 느낌을 더해주기 위해 실버 컬러의 힐을 추천합니다. 실버 힐은 네이비 컬러와 잘 어우러져 세련된 분위기를 연출할 수 있습니다. 플랫 슈즈를 선호하는 경우, 메탈릭한 장식이 있는 플랫 슈즈를 선택하면 포인트가 되면서도 편안한 스타일을 유지할 수 있습니다.

두 번째로는 발목을 감싸는 스트랩 힐을 고려해 보세요. 이 스타일의 신발은 다리를 더욱 길어 보이게 하고, 전체적인 실루엣을 날씬하게 만들어줍니다. 네이비나 그레이 컬러의 스트랩 힐은 원피스와 조화를 이루며, 포멀한 자리에서도 적합합니다.

세 번째로는 좀 더 캐주얼한 느낌을 주고 싶을 때는 스니커즈를 선택할 수 있습니다. 화이트나 라이트 그레이 컬러의 깔끔한 스니커즈는 원피스와 함께 편안하면서도 스타일리시한 룩을 완성할 수 있습니다. 이렇게 신발을 선택할 때는 원피스의 분위기와 착용할 장소에 맞춰 선택하는 것이 중요합니다.

추가 아이템 추천: 가방

이 네이비 셔링 롱원피스에 어울리는 가방으로는 몇 가지 옵션을 고려할 수 있습니다. 첫째, 클래식한 클러치백을 추천합니다. 실버나 그레이 컬러의 미니멀한 디자인의 클러치백은 세련된 느낌을 더해주며, 다양한 모임에서 포인트 아이템으로 활용할 수 있습니다. 특히, 작은 크기의 클러치백은 휴대하기도 편리하고, 필요한 소지품을 간편하게 보관할 수 있습니다.

둘째, 숄더백도 좋은 선택입니다. 가죽 소재의 숄더백은 고급스러운 느낌을 주며, 네이비 원피스와 잘 어울립니다. 네이비와 같은 톤의 가방을 선택하면 전체적인 룩이 더욱 통일감 있게 완성됩니다. 혹은, 베이지나 라이트 그레이 컬러의 숄더백을 선택해 약간의 대비를 주는 것도 좋은 방법입니다.

셋째, 크로스바디 백도 고려해 볼 수 있습니다. 작은 사이즈의 크로스바디 백은 활동성을 높여주며, 캐주얼한 모임에서도 편안하게 사용할 수 있습니다. 메탈릭한 디테일이 있는 크로스바디 백은 원피스의 단정한 스타일에 약간의 포인트를 더해줍니다. 가방을 선택할 때는 원피스의 스타일과 어울리면서도 실용적인 면을 고려하는 것이 중요합니다.

추가 아이템 추천: 액세서리

이 네이비 셔링 롱원피스에 어울리는 액세서리로는 실버나 진주 액세서리가 적합합니다. 첫째, 실버 귀걸이를 추천합니다. 네이비 컬러와 잘 어우러지는 실버 컬러의 귀걸이는 세련된 느낌을 더해주며, 단순한 디자인의 귀걸이로도 충분히 포인트를 줄 수 있습니다. 특히, 작은 후프 귀걸이나 드롭 스타일의 실버 귀걸이는 우아한 분위기를 연출할 수 있습니다.

둘째, 진주 목걸이는 네이비 원피스에 고급스러운 포인트를 줄 수 있습니다. 단순한 진주 목걸이나, 약간의 디자인이 가미된 진주 목걸이는 원피스의 클래식한 느낌과 잘 어울립니다. 진주 목걸이는 다양한 모임에서 우아하고 고급스러운 이미지를 줄 수 있습니다.

셋째, 팔찌는 얇고 심플한 실버 팔찌를 추천합니다. 여러 개의 얇은 팔찌를 레이어링해도 좋고, 하나의 포인트가 되는 팔찌를 선택해도 좋습니다. 이렇게 하면 손목에 자연스럽게 시선을 끌 수 있으며, 전체적인 룩에 통일감을 줄 수 있습니다. 이와 함께, 액세서리를 선택할 때는 원피스의 스타일과 조화를 이루면서도 과하지 않게 연출하는 것이 중요합니다.

2. 모던하고 세련된 스타일
(Modern & Chic)

키워드: 간결함, 세련미, 대담함, 고급스러운

모던하고 세련된 스타일은 도시적인 감각과 간결한 디자인이 특징인 스타일로, 강렬한 인상을 남기며 자신감을 표현합니다. 구조적이고 선명한 실루엣이 돋보이며, 불필요한 장식을 줄여 세련된 분위기를 연출합니다. 이 스타일은 트렌디함과 우아함의 균형을 유지하면서도 과감한 포인트를 활용하는 것이 핵심입니다.

코디 요소

이 스타일은 모노크롬 컬러(블랙, 화이트, 그레이) 또는 강렬한 포인트 컬러로 심플하면서도 대담한 이미지를 만듭니다. 구조적인 실루엣의 재킷, 슬랙스, 미디 드레스가 기본이며, 미니멀한 디자인의 신발과 가방이 조화를 이룹니다. 메탈릭 액세서리와 스트럭처드 백으로 고급스러운 느낌을 더하고, 샤프한 메이크업과 깔끔한 헤어 스타일로 마무리하면 완벽한 모던 룩을 완성할 수 있습니다.

적합한 상황

모던하고 세련된 스타일은 비즈니스 회의, 면접, 도시에서의 저녁 모임 등 격식을 갖춘 자리에서 잘 어울립니다. 또한, 전시회나 콘서트처럼 현대적 감각이 필요한 자리에서도 빛을 발합니다. 자신의 전문성과 세련미를 강조하고 싶을 때, 이 스타일은 믿음직한 선택이 됩니다.

모던하고 세련된 스타일은 실용적이면서도 감각적인 이미지로, 착용자에게 강렬한 존재감을 부여합니다. 자신감을 표현하고 싶다면 이 스타일로 당신의 매력을 펼쳐보세요.

1. 모던하고 세련된 스타일: 린넨 자켓 & 와이드진

중년 여성을 위한 세련된 비즈니스 캐주얼 룩을 확인할 수 있습니다. 다음은 이 스타일을 완성하는 추가적인 조언입니다. 이미지에서 현재 착용한 옷은 린넨 재킷과 통 넓은 와이드 청바지로 구성된 비즈니스 캐주얼 룩입니다. 린넨 재킷은 가볍고 시원해 여름철 비즈니스룩에 적합합니다. 여기에 통이 넓은 와이드 청바지를 매치해 편안하면서도 스타일리시한 느낌을 줍니다. 전체적으로 자연스러운 컬러 조합과 캐주얼한 무드가 잘 어우러져 멋스러운 비즈니스룩을 완성합니다.

이 룩을 조금 더 세련되게 연출하고 싶다면, 재킷 안에 입는 상의를 레이스가 아닌 깔끔한 화이트 셔츠나 블라우스로 바꿔보세요. 청바지도 깔끔하게 롤업해 발목을 드러내면 더 경쾌한 느낌을 줄 수 있습니다. 모자는 휴양지 느낌을 주기 때문에, 비즈니스 미팅에서는 제외하고 대신 깔끔한 헤어 스타일로 연출하는 것이 좋습니다. 신발은 편안한 로퍼나 플랫 슈즈로 교체하면 비즈니스 캐주얼에 잘 어울릴 것입니다.

헤어 스타일 코칭

비즈니스룩에 어울리는 헤어 스타일로는 단정하고 깔끔한 스타일이 좋습니다. 긴 머리라면 낮은 포니테일이나 반묶음 스타일이 적합합니다. 이때, 헤어밴드를 활용해 깔끔하게 정리하면 더욱 좋습니다. 짧은 머리라면, 자연스럽게 드라이해 볼륨을 살리는 것이 포인트입니다. 컬이 있다면 고데기로 가볍게 정리해 주고, 스트레이트 헤어라면 윤기나게 관리해주는 것이 중요합니다. 염색한 머리라면 컬러를 유지하기 위해 정기적인 관리도 필요합니다. 이 스타일은 전체적으로 단정하면서도 자연스러운 이미지를 줘서 비즈니스 환경에 적합합니다.

메이크업 코칭

비즈니스 메이크업은 자연스럽고 깔끔한 이미지가 중요합니다. 우선,

피부는 너무 두껍지 않게 얇게 베이스를 깔아주고, 컨실러로 잡티를 가려줍니다. 눈썹은 자연스러운 아치형으로 그려주고, 아이섀도우는 베이지나 브라운 톤으로 은은하게 표현합니다. 아이라인은 얇게 그려 눈매를 또렷하게 만들어줍니다. 블러셔는 코랄이나 피치 톤으로 생기를 주고, 립스틱은 자연스러운 핑크나 누드 톤을 선택하면 좋습니다. 전체적으로 너무 진하지 않게, 자연스러운 톤을 유지하는 것이 비즈니스 메이크업의 핵심입니다.

악세사리 추가 아이템 추천

비즈니스 캐주얼 룩을 더욱 완성도 있게 만들기 위해 추가 아이템을 활용해보세요. 신발은 편안한 로퍼나 플랫 슈즈를 추천합니다. 너무 캐주얼한 샌들보다는 비즈니스 캐주얼에 잘 어울리는 아이템이기 때문입니다.

가방은 토트백이나 숄더백을 선택하세요. 심플하고 깔끔한 디자인이 좋으며, 너무 화려한 장식이 없는 것이 좋습니다. 악세사리는 작은 펄이나 골드 이어링, 심플한 시계 등을 선택하면 됩니다. 과하지 않은 디자인으로, 전체적인 룩과 조화롭게 매치될 수 있는 아이템이 이상적입니다. 스카프는 얇은 실크 스카프를 목에 가볍게 둘러주면 스타일에 포인트를 줄 수 있습니다.

밝은 컬러나 패턴이 들어간 스카프는 얼굴을 화사하게 만들어 줍니다. 이처럼 신발, 가방, 악세사리, 스카프 등을 활용해 스타일을 보완하면 더욱 완성도 높은 비즈니스 캐주얼 룩을 연출할 수 있습니다. 각각의 아이템은 실용적이면서도 세련된 느낌을 주며, 비즈니스 환경에서도 프로페셔널한 이미지를 유지할 수 있도록 도와줍니다. 이렇게 하면 당신의 스타일이 더욱 돋보이고 자신감을 가질 수 있을 것입니다.

2. 모던하고 세련된 스타일: 프라다소재 롤업원피스

스타일 평가

네이비 컬러의 얇은 프라다 소재 원피스는 매우 세련된 비즈니스룩으로 적합합니다. 네이비 컬러는 프로페셔널하면서도 차분한 이미지를 연출하며, 쿨톤 피부에 특히 잘 어울립니다. 원피스의 디자인은 모던하고 미니멀하면서도 허리 부분의 벨트 디테일이 슬림한 실루엣을 강조해줍니다. 벨트는 허리를 잘록하게 만들어주고, 전체적인 라인을 더욱 매끈하게 만들어줍니다. 소매를 롤업한 디테일은 원피스에 약간의 캐주얼함을 더해주어 편안한 분위기를 자아내며, 비즈니스 미팅이나 사무실에서 편안하게 착용할 수 있는 스타일을 완성합니다.

스타일 코칭

이 원피스를 더욱 돋보이게 하기 위해, 먼저, 액세서리는 심플하면서도 세련된 디자인을 선택하는 것이 중요합니다. 실버 컬러의 귀걸이와 목걸이가 네이비 컬러와 잘 어울리며, 전체적인 룩에 조화를 더해줍니다. 예를 들어, 얇은 체인 목걸이나 작은 펜던트가 있는 디자인을 선택하면 고급스러운 느낌을 줍니다. 신발은 베이지색 플랫 슈즈도 좋지만, 좀 더 포멀한 느낌을 원한다면 네이비 또는 블랙 컬러의 펌프스를 추천드립니다. 펌프스는 발을 안정적으로 지탱해주면서도 다리 라인을 길어 보이게 하여, 비즈니스 환경에 적합합니다. 가방은 미니멀한 디자인의 블랙이나 그레이 컬러의 토트백을 선택하세요. 가죽 소재의 가방이 가장 잘 어울리며, 필요에 따라 크로스백으로 변환할 수 있는 디자인도 좋습니다. 이렇게 스타일링하면 네이비 컬러 원피스를 활용한 고급스럽고 프로페셔널한 비즈니스룩을 완성할 수 있습니다.

헤어 스타일 추천

네이비 컬러의 원피스와 어울리는 헤어 스타일은 깔끔하면서도 우아한 느낌을 강조하는 것이 중요합니다. 중간 길이의 스트레이트 헤어는 네이비 원피스와 매우 잘 어울리며, 프로페셔널한 이미지를 더욱 강조해줍니다. 이 스타일은 머리를 정돈된 상태로 유지하면서도 자연스러운 느낌을 줄 수 있어 비즈니스 환경에 이상적입니다. 자연스러운 웨이브를 더한 헤어 스타일도 좋은 선택입니다. 부드러운 웨이브는 보다 따뜻하고 부드러운 인상을 주며, 원피스의 세련된 느낌과 잘 어울립니다. 포니테일 스타일도 실용적이면서 세련된 느낌을 줄 수 있습니다. 낮게 묶은 포니테일은 비즈니스룩에 적합하며, 얼굴을 시원하게 드러내어 깔끔한 인상을 줍니다. 또한, 깔끔하게 묶은 번 헤어 스타일도 추천합니다. 이 스타일은 얼굴을 시원하게 드러내며, 전체적인 룩을 더 단정하고 고급스럽게 만들어줍니다. 번 스타일은 특히 중요한 미팅이나 프레젠테이션 등 중요한 자리에서 더욱 돋보일 수 있습니다. 헤어 액세서리를 사용해 포인트를 주는 것도 좋은 방법입니다. 예를 들어, 실버나 네이비 컬러의 헤어핀을 사용해 정돈된 헤어 스타일을 연출할 수 있습니다. 이렇게 다양한 헤어 스타일을 시도해보면서 네이비 원피스와의 조화를 이루어보세요.

메이크업 추천

네이비 컬러의 원피스와 어울리는 메이크업은 자연스럽고 깔끔한 느낌을 강조하는 것이 중요합니다. 먼저, 베이스 메이크업은 피부톤을 화사하고 균일하게 만들어주는 것이 중요합니다. 쿨톤 피부를 위한 베이스 제품을 사용해 자연스럽고 고르게 커버하세요. 컨실러로 필요한 부분을 커버한 후, 가벼운 파우더로 마무리해 메이크업이 오래 지속되도록 합니다. 아이 메이크업은 은은한 스모키 아이섀도우를 사용해 깊이감을 더해줍니다. 그레이, 실버, 라벤더 등의 쿨톤 색상을 선택해 눈에 부드러운 음영을 주는 것이 좋습니다. 블랙 또는 브라운 컬러의 아이라이너로 눈매를 강조하고, 마스카라로 속눈썹을 길고 풍성하게 연출하세요. 속눈썹을 강조하면 눈이 더 커보이고 또렷한 인상을 줄 수 있습니다. 블러셔는 핑크 톤을 사용해 자연스러운 혈색을 더하고, 볼에 살짝 발라주는 것이 좋습니다. 너무 강하지 않게 자연스럽게 발라주어야 전체적인 메이크업이 조화롭게 어우러집니다. 하이라이터를 가볍게 사용해 윤곽을 잡아주면 얼굴이 더욱 입체적으로 보일 수 있습니다. 립 메이크업은 쿨톤에 어울리는 핑크 베이지 계열의 립스틱을 사용해 자연스럽고 깔끔한 룩을 완성하세요. 틴트 립밤이나 글로스를 사용해 약간의 광택을 주는 것도 좋습니다. 전체적으로 자연스러우면서도 세련된 느낌을 주는 메이크업을 완성해보세요.

추가 아이템 추천

신발: 네이비 원피스와 잘 어울리는 신발은 블랙이나 그레이 컬러의 펌프스입니다. 베이지색 플랫 슈즈도 좋은 선택이지만, 좀 더 포멀한 느낌을 원한다면 힐을 선택하는 것이 좋습니다. 힐은 다리 라인을 길어 보이게 하고, 비즈니스 환경에서도 세련된 느낌을 줄 수 있습니다.

또한, 네이비 컬러와 잘 어울리는 블랙이나 네이비 색상의 앵클 부츠도 좋은 선택입니다. 특히 가을이나 겨울철에 원피스와 함께 매치하면 스타일리시한 룩을 연출할 수 있습니다.

가방: 미니멀한 디자인의 블랙 가죽 토트백이나 크로스백을 추천합니다. 네이비 원피스와 조화를 이루며, 전체적인 룩을 더 세련되게 만들어줍니다. 가방의 크기는 중간 정도가 적당하며, 너무 크거나 작지 않은 것이 좋습니다. 블랙이나 그레이 컬러의 가방은 대부분의 비즈니스룩에 잘 어울리며, 실용적이면서도 스타일리시한 선택입니다. 가죽 소재의 가방은 고급스러움을 더해주며, 오랫동안 사용할 수 있는 내구성을 갖추고 있습니다.

스카프, 액세서리: 실버 컬러의 얇은 체인 목걸이나 작은 펜던트가 있는 디자인을 선택하세요. 귀걸이는 심플한 실버 스터드 또는 작은 링 귀걸이를 선택하면 좋습니다. 스카프는 포인트를 줄 수 있는 아이템으로, 가방과 잘 어울리는 색상의 스카프를 목에 두르면 스타일리시한 포인트를 줄 수 있습니다. 실크 소재의 스카프는 고급스러움을 더해주며, 비즈니스룩에 적합합니다. 또한, 시계를 추가하면 더욱 완성도 높은 룩을 연출할 수 있습니다. 실버나 메탈 소재의 시계는 세련되면서도 프로페셔널한 이미지를 줍니다. 이렇게 다양한 추가 아이템을 활용해 네이비 원피스를 더욱 돋보이게 스타일링해보세요.

3. 모던하고 세련된 스타일: 체크무늬 남방 & 와이드팬츠

스타일 평가

이 출근룩은 클래식하면서도 캐주얼한 요소를 잘 조합한 스타일입니다. 체크무늬 남방은 전통적인 디자인이지만, 큼직한 패턴과 자연스러운 색상 조합 덕분에 현대적인 감각을 살려줍니다. 특히 크림베이지 와이드바지는 편안하면서도 세련된 느낌을 주어, 전체적으로 여유롭고 스타일리시한 인상을 줍니다. 와이드바지의 여유로운 핏은 활동성을 높여주면서도 우아한 실루엣을 유지하게 해줍니다. 뉴발란스 운동화는 룩에 캐주얼한 터치를 더해주며, 하루 종일 편안하게 신을 수 있는 실용적인 선택입니다. 호피무늬 가방은 강렬한 포인트가 되어 전체적인 스타일을 한층 더 돋보이게 만듭니다. 호피무늬는 패턴이 많은 체크무늬와 잘 어울리며, 흥미로운 시각적 대비를 만들어냅니다. 전반적으로 이 룩은 클래식한 요소와 모던한 감각이 잘 어우러져 있어, 출근길에서도 스타일리시함을 잃지 않도록 해줍니다. 이 조합은 특히 웜톤을 선호하는 사람들에게 추천할 만합니다. 룩의 조화를 위해 액세서리와 헤어 스타일, 메이크업을 추가적으로 조정하면 더욱 완성도 높은 스타일링이 가능할 것입니다.

스타일 코칭

체크무늬 남방과 크림베이지 와이드바지 조합에는 심플한 골드 액세서리가 잘 어울립니다. 얇은 골드 체인 목걸이와 작은 골드 귀걸이로 세련된 포인트를 추가하세요. 뉴발란스 운동화 대신 좀 더 포멀한 분위기를 원한다면, 브라운이나 베이지 색상의 로퍼를 추천합니다. 로퍼는 클래식한 느낌을 더해주며, 사무실에서도 적합한 스타일링을 완성합니다. 자연스러운 웨이브 헤어나 로우 번 스타일이 전체적인 룩과 잘 어울립니다. 체크무늬 남방의 캐주얼함과 잘 어울리며, 세련된 느낌을 줍니다. 웜톤 메이크업으로 자연스러운 느낌을 살리세요. 코랄 계열의 블러셔와 립스틱을 사용하면 따뜻하고 조화로운 인상을 줄 수 있습니다.

헤어 스타일 추천과 스타일링

이 룩에 어울리는 헤어 스타일로는 자연스러운 웨이브 헤어와 로우 번 스타일을 추천합니다. 자연스러운 웨이브 헤어는 캐주얼하면서도 여성스러운 느낌을 강조해주며, 체크무늬 남방의 클래식한 무드를 한 층 더 살려줍니다. 이를 위해서는 열 보호제를 사용한 후, 큰 배럴의 컬링 아이언을 이용해 부드러운 웨이브를 만들어주세요. 컬을 만든 후 손가락으로 가볍게 풀어 자연스러운 느낌을 주는 것이 포인트입니다. 로우 번 스타일은 보다 깔끔하고 정돈된 이미지를 주면서도 여전히 편안한 분위기를 유지해줍니다. 머리를 뒤로 낮게 묶어주고, 가볍게 꼬아 묶어 로우 번을 완성하세요. 이 스타일은 얼굴을 깔끔하게 드러내주어 세련된 인상을 줄 수 있습니다. 추가로, 얇은 골드 헤어핀이나 심플한 헤어 악세서리를 활용해 작은 포인트를 주는 것도 좋습니다. 이 두 스타일은 모두 체크무늬 남방과 크림베이지 와이드바지의 캐주얼하면서도 클래식한 느낌을 잘 살려줍니다. 헤어 스타일을 잘 활용하면 전체적인 룩의 완성도가 더욱 높아질 것입니다.

메이크업 추천과 스타일링

이 룩에 어울리는 메이크업 스타일은 웜톤 컬러를 활용한 자연스러운 메이크업입니다. 피부는 가벼운 BB크림이나 파운데이션으로 자연스럽게 커버하고, 브론저를 사용해 따뜻한 느낌을 더해주세요. 브론저는 광대뼈와 턱선에 가볍게 발라 자연스러운 윤곽을 만들어줍니다. 눈 메이크업은 베이지와 브라운 계열의 아이섀도우를 사용해 부드럽고 자연스러운 음영을 주는 것이 좋습니다. 브라운 컬러의 아이라이너로 눈매를 또렷하게 잡아주고, 마스카라로 속눈썹을 길고 풍성하게 연출하세요. 눈썹은 자연스러운 아치형으로 다듬고, 브로우 젤로 깔끔하게 고정합니다. 블러셔는 코랄이나 피치 톤을 선택해 양 볼에 가볍게 발라 생기를 더해줍니다. 립 메이크업은 코랄 계열의 립스틱이나 틴트를 사용해 따뜻하고 화사한 느낌을 주는 것이 좋습니다. 입술 중앙에 조금 더 진한 색을 발라 그라데이션 립을 연출하면 더욱 입체감 있는 입술을 만들 수 있습니다. 이 메이크업은 전체적으로 따뜻한 웜톤의 스타일을 강조해주며, 체크무늬 남방과 크림베이지 와이드바지의 조합과 잘 어울립니다. 자연스러우면서도 세련된 인상을 주는 메이크업으로, 출근길에서도 부담 없이 활용할 수 있습니다.

추가 아이템 추천: 신발

브라운이나 베이지 색상의 로퍼는 출근룩에 클래식하고 단정한 느낌을 더해줍니다. 로퍼는 편안하면서도 포멀한 분위기를 유지할 수 있어 다양한 스타일에 활용 가능합니다. 가을이나 겨울철에는 앵클 부츠를 매치해 보세요. 블랙, 브라운, 베이지 색상의 앵클 부츠는 따뜻하면서도 스타일리시한 느낌을 줍니다. 편안함을 유지하면서도 깔끔한 인상을 주는 플랫 슈즈를 선택할 수 있습니다. 블랙이나 뉴트럴 톤의 플랫 슈즈는 다양한 코디에 잘 어울립니다.

추가 아이템 추천: 가방

심플한 디자인의 토트백은 출근룩에 적합합니다. 베이지나 브라운 컬러의 가죽 토트백은 클래식한 느낌을 주면서도 실용적인 아이템입니다. 좀 더 캐주얼한 느낌을 원한다면, 크로스바디 백을 추천합니다. 블랙이나 네이비 컬러의 크로스바디 백은 다양한 스타일에 잘 어울리며, 손이 자유로워 편리합니다. 출퇴근 시 많은 짐을 휴대해야 한다면, 스타일리시한 디자인의 백팩도 좋은 선택입니다. 뉴트럴 톤의 가죽 백팩은 포멀하면서도 실용적입니다.

추가 아이템 추천: 액세서리

심플한 골드 체인 목걸이는 클래식하면서도 세련된 느낌을 더해줍니다. 체크무늬 남방과 잘 어울리며, 전체적인 룩을 더욱 완성도 있게 만들어줍니다. 작은 골드 링 귀걸이나 심플한 스터드 귀걸이는 자연스럽게 포인트를 주며, 과하지 않은 멋을 더해줍니다. 클래식한 디자인의 손목시계는 출근룩에 필수적인 아이템입니다. 가죽 스트랩 시계나 메탈 밴드 시계를 선택해보세요. 이는 시간을 확인하는 실용적인 기능뿐만 아니라 스타일리시한 포인트가 됩니다.

4. 모던하고 세련된 스타일: 스웨이드 아우터 & 가죽조끼

스타일 평가

이 코디는 중년 여성에게 매우 어울리는 우아한 모임 룩으로, 따뜻한 웜톤 컬러가 돋보입니다. 스웨이드 원피스는 부드럽고 따뜻한 텍스처로 고급스러운 느낌을 주며, 중후하면서도 세련된 분위기를 연출합니다. 카멜 색상의 조끼는 자연스러운 컬러 조합으로 원피스와 잘 어우러지며, 레이어드 스타일로 입체감을 더해줍니다. 허리 부분에 들어간 스트링 디테일은 실루엣을 강조해 여성스러움을 부각시키고, 롤업된 소매가 캐주얼하면서도 멋스러운 요소를 더해 줍니다. 여기에 패턴이 있는 스카프를 추가해 포인트를 주어 룩에 생동감을 불어넣었습니다. 또한, 같은 컬러 계열의 가방은 전체적인 톤을 맞추며 통일감을 주는 중요한 요소로 작용합니다. 전반적으로 따뜻한 컬러와 다양한 소재의 조화가 돋보이는 세련된 모임 룩입니다.

스타일 코칭

이 룩을 더 돋보이게 하기 위해서는 몇 가지 스타일링 팁을 추가할 수 있습니다. 우선, 스웨이드 원피스와 카멜 색상 조끼의 톤온톤 스타일을 유지하면서도 액세서리로 포인트를 주면 좋습니다. 예를 들어, 메탈릭한 브로치나 골드톤의 귀걸이 등을 활용하면 더욱 세련된 느낌을 줄 수 있습니다. 스카프 대신 모임 장소에 따라 실크 스카프로 교체해 더 고급스러운 느낌을 주거나, 목걸이로 포인트를 주는 것도 좋습니다. 또한, 가방을 조금 더 작은 크기의 크로스바디 백이나 클러치로 변경하여 포멀함을 강조해 보는 것도 추천합니다. 신발은 플랫 슈즈 대신 힐이 있는 앵클 부츠나 펌프스를 선택하면 다리가 더 길어 보이고 전체적인 비율이 좋아 보이는 효과가 있습니다.

헤어 스타일 추천과 스타일링

이 스타일에 어울리는 헤어 스타일로는 볼륨감을 살린 웨이브가 있는 미디엄 길이의 헤어를 추천합니다. 이 헤어 스타일은 스웨이드 원피스와 카멜 조끼의 부드러운 텍스처와 조화를 이루며, 우아하면서도 자연스러운 느낌을 줍니다. 중간 길이의 웨이브는 얼굴을 부드럽게 감싸주어 여성스러움을 강조할 수 있습니다. 또한, 얼굴형에 따라 살짝 옆으로 넘긴 앞머리를 더해 부드러운 곡선을 만들어 주면 얼굴을 더욱 작고 갸름하게 보이게 하는 효과가 있습니다. 컬러는 따뜻한 느낌의 다크 브라운이나 초콜릿 브라운 톤으로 자연스러우면서도 깊이 있는 컬러를 선택하면 웜톤 룩과 잘 어울립니다. 헤어 마무리로는 윤기 있는 헤어 스프레이를 사용해 깔끔하고 정돈된 느낌을 주는 것이 좋습니다.

메이크업 추천과 스타일링

중년 여성의 당당함과 시크함을 강조하는 메이크업으로는 자연스러우면서도 선명한 컬러감을 살리는 것이 중요합니다. 웜톤 피부에 어울리는 메이크업을 위해 베이스는 따뜻한 베이지 톤으로 피부 톤을 고르게 정돈하고, 부드럽게 광택을 주는 파운데이션을 사용해 피부에 생기를 더해줍니다. 눈썹은 자연스러운 아치 형태로 그리되, 브라운 계열의 아이브로우 펜슬을 사용해 부드럽게 표현합니다. 아이 메이크업은 브론즈나 골드톤의 아이섀도로 눈에 깊이감을 더하고, 블렌딩을 통해 부드러운 음영을 만들어줍니다. 아이라이너는 브라운 톤을 사용해 눈매를 부드럽게 감싸주되, 얇고 길게 빼주어 눈매가 길어 보이게 합니다. 립 컬러는 따뜻한 톤의 브릭 레드나 말린 장미 색상으로 선택해 입술에 생기를 주면서도 자연스럽고 세련된 분위기를 연출합니다. 마지막으로, 브론저와 하이라이터를 사용해 얼굴의 윤곽을 살리고, 은은한 코랄 계열의 블러셔로 마무리해 건강한 느낌을 줍니다.

추가 아이템 추천: 신발

이 룩에 어울리는 신발로는 카멜 톤의 앵클 부츠를 추천합니다. 스웨이드나 레더 소재의 앵클 부츠는 전체적인 웜톤 컬러와 잘 어울리며, 원피스와 조끼의 부드러운 텍스처와도 잘 매칭됩니다. 힐이 있는 디자인을 선택하면 다리가 길어 보이는 효과를 줄 수 있고, 발목을 잡아주는 디자인이므로 안정감 있게 착용할 수 있습니다. 또한, 부츠의 디테일로는 간결한 버클이나 스티치 장식이 들어간 디자인을 선택해 룩에 포인트를 줄 수 있습니다. 이 부츠는 가을부터 겨울까지 다양한 룩에 활용할 수 있어 실용적이며, 모임 자리에서도 적절한 포멀함을 유지할 수 있습니다.

추가 아이템 추천: 가방

이 룩에 어울리는 가방으로는 미디엄 사이즈의 레더 크로스바디 백을 추천합니다. 가방의 컬러는 카멜이나 다크 브라운과 같은 톤을 선택해 전체적인 룩과 조화를 이루도록 합니다. 크로스바디 백은 실용적이면서도 손을 자유롭게 사용할 수 있어 모임에서도 편안하게 사용할 수 있습니다. 가방의 디자인은 깔끔한 라인과 간결한 장식이 들어간 스타일을 선택해 룩의 세련된 이미지를 더욱 강조할 수 있습니다. 또한, 체인 스트랩이나 메탈 장식이 있는 가방을 선택하면 룩에 고급스러움을 더할 수 있습니다.

추가 아이템 추천: 액세서리

이 룩에 추가할 수 있는 액세서리로는 골드톤의 주얼리를 추천합니다. 얇은 골드 체인 목걸이나 작은 펜던트가 달린 목걸이는 스웨이드 원피스와 카멜 조끼의 톤온톤 스타일을 고급스럽게 업그레이드해 줍니다. 귀걸이는 작은 골드 후프나 드롭 스타일의 귀걸이를 선택하면 얼굴을 돋보이게 하고, 전체적으로 세련된 느낌을 줍니다. 또한, 팔찌나 시계를 골드 메탈 소재로 선택해 손목에 포인트를 더해주는 것도 좋습니다. 이러한 액세서리는 룩을 완성하는 중요한 요소로, 모임에서 더욱 빛날 수 있는 스타일링을 연출할 수 있습니다.

3. 캐주얼하고 자유로운 스타일 (Casual & Relaxed)

키워드: 실용성, 자연스러움, 개성, 편안함

캐주얼하고 자유로운 스타일은 편안하면서도 자연스러운 매력을 지닌 스타일로, 일상에서 쉽게 활용할 수 있습니다. 유행에 구애받지 않고 개성을 표현할 수 있는 유연함이 특징이며, 실용성과 활동성을 강조합니다. 이 스타일은 자유로운 감성과 함께 부담 없는 룩을 완성합니다.

코디 요소

캐주얼 스타일은 데님, 코튼, 니트와 같은 편안한 소재로 구성됩니다. 루즈 핏 셔츠, 스니커즈, 플랫 슈즈 등으로 스타일의 핵심을 이루며, 체크 패턴이나 스트라이프 디테일로 포인트를 더할 수 있습니다. 여기에 크로스백이나 백팩 같은 실용적인 액세서리를 매치하면 스타일과 실용성을 모두 잡을 수 있습니다. 아우터로는 가벼운 재킷이나 후드티를 활용하면 활동성과 편안함을 동시에 느낄 수 있습니다.

적합한 상황

이 스타일은 쇼핑, 산책, 카페에서의 만남처럼 부담 없는 일상적인 자리에서 잘 어울립니다. 여행이나 주말 나들이처럼 활동성이 필요한 경우에도 적합합니다. 또한, 홈파티나 비공식적인 모임에서도 스타일리시하면서도 편안한 인상을 줄 수 있습니다.

캐주얼하고 자유로운 스타일은 당신의 내추럴한 매력을 최대한 끌어올립니다. 쉽게 활용 가능한 이 스타일로 일상 속에서 당신만의 개성을 표현해 보세요.

1. 캐주얼하고 자유로운 스타일:린넨상의 & 진

스타일 평가

   데일리룩에 밝은 색상의 액세서리나 가방을 추가해 보세요. 핑크나 민트색의 목걸이나 귀걸이는 룩에 생기를 더할 수 있습니다. 또한, 린넨과 진 소재 외에도 가죽 팔찌나 벨트를 추가해 텍스처의 변화를 주면 스타일의 깊이를 더할 수 있습니다. 신발을 좀 더 독특한 디자인으로 바꿔보는 것도 좋은 방법입니다. 예를 들어, 메탈릭한 포인트가 있는 샌들이나 레이스업 스타일의 스니커즈는 룩에 독특함을 더해줄 수 있습니다. 이렇게 하면 전체적인 스타일이 더 흥미롭고 세련된 느낌을 줄 것입니다.

헤어 스타일 추천

린넨과 진 소재의 편안한 느낌에 맞춰 자연스러운 웨이브 헤어 스타일을 추천합니다. 자연스러운 웨이브는 부드럽고 여성스러운 분위기를 연출해 줍니다. 낮은 포니테일도 좋은 선택입니다. 깔끔하면서도 스타일리시한 느낌을 주며, 약간의 웨이브를 추가하면 더욱 자연스러운 포니테일을 연출할 수 있습니다.

로우 번(낮은 위치의 번)은 린넨 탑의 세련된 느낌과 잘 맞습니다. 번 주변에 약간의 텍스처를 주어 자연스러운 느낌을 더해보세요. 마지막으로, 자연스럽게 땋은 머리는 여름철 시원한 느낌을 주면서도 전체적인 룩에 포인트를 줄 수 있습니다. 머리를 땋아 한쪽으로 늘어뜨리거나, 양쪽으로 땋아 귀여운 분위기를 연출해 보세요.

메이크업 추천

메이크업은 자연스럽게 하는 것이 좋습니다. 가벼운 BB크림이나 CC크림을 사용해 투명하고 자연스러운 피부 표현을 하세요. 여름철이므로 무겁지 않은 제품을 선택해 피부를 시원하게 유지하는 것이 중요합니다. 아이 메이크업은 베이지나 브라운 계열의 아이섀도를 사용해 눈매를 자연스럽게 강조하세요. 아이라인은 얇게 그리고, 마스카라는 한두 번만 가볍게 발라 자연스러운 눈매를 연출합니다.

블러셔는 핑크나 코랄 계열을 사용해 생기를 더해 주세요. 볼 중앙에 가볍게 발라주면 건강한 혈색을 표현할 수 있습니다. 립은 자연스러운 핑크나 코랄 색상의 립틴트를 사용해 가볍게 바르고, 글로시한 립밤을 덧발라 촉촉한 느낌을 더해줍니다. 마지막으로, T존과 광대뼈, 콧대 등에 가볍게 하이라이터를 발라 피부에 은은한 광채를 더해 보세요. 전체적인 룩이 더욱 생기 있어 보일 것입니다.

악세사리 추가 아이템 추천

린넨과 잘 어울리는 신발로는 에스파드류 샌들이 있습니다. 네추럴 톤의 에스파드류는 여름철 시원한 느낌을 주며, 편안하면서도 스타일리시합니다. 또한, 캐주얼한 룩을 완성하기 위해 흰색이나 밝은 색상의 슬립온 스니커즈도 추천합니다.

가방은 크로스백이나 토트백이 좋습니다. 가벼운 캔버스 소재나 라탄 소재의 크로스백은 자연스러운 룩에 잘 어울리며, 큰 사이즈의 네추럴 톤 토트백은 여유로운 느낌을 더해줍니다.

모자는 밀짚 모자와 버킷 햇이 적합합니다. 넓은 챙이 있는 밀짚 모자는 햇볕을 가려주며, 버킷 햇은 편안한 분위기를 줍니다. 스카프는 실크 스카프나 헤어 스카프를 추천합니다. 얇은 실크 스카프를 목에 두르거나 가방에 매달면 룩에 컬러 포인트를 줄 수 있고, 스카프를 머리에 묶어 헤어밴드처럼 사용하면 스타일리시하면서도 귀여운 느낌을 줄 수 있습니다.

　마지막으로, 심플한 실버 체인 목걸이나 펜던트 목걸이, 우드 팔찌나 실버 팔찌, 작은 링 귀걸이나 심플한 스터드 귀걸이는 자연스럽고 세련된 느낌을 줄 수 있습니다.

2. 캐주얼하고 자유로운 스타일:스웨이드 아우터 & 와이드진

스타일 평가

이 룩은 가을 시즌에 적합한 데일리 웜톤 스타일로, 여러 요소가 조화롭게 어우러져 있습니다. 브라운 루즈핏 스웨이드 아우터는 편안하면서도 멋스러운 느낌을 주며, 가벼운 소재로 활동성을 보장합니다. 아우터 아래에 매치한 블랙과 화이트 스트라이프 패턴의 니트 이너는 캐주얼하면서도 시크한 느낌을 더해줍니다. 이너의 시스루 디테일은 은은한 섹시함을 더해주며, 블랙과 화이트의 대비가 시각적인 흥미를 유발합니다.

화이트 와이드 진은 전체적인 룩을 밝고 가볍게 만들어 주며, 편안한 실루엣을 연출합니다. 블랙 스니커즈는 캐주얼하면서도 안정감을 주며, 실용성을 높여줍니다. 마지막으로 블랙 버킷햇은 얼굴을 작아 보이게 하면서도 스타일리시한 느낌을 줍니다. 이 모든 요소들이 조화를 이루며, 편안하면서도 스타일리시한 가을 데일리룩을 완성하고 있습니다. 다만, 컬러 밸런스나 액세서리의 추가로 스타일을 더욱 업그레이드할 수 있는 여지가 있습니다.

스타일 코칭

이 스타일을 더욱 완성도 높게 만들기 위해 몇 가지 보완 사항을 제안합니다. 첫째, 액세서리로 골드나 브라운 계열의 얇은 체인 목걸이와 미니멀한 디자인의 귀걸이를 추가하면 룩에 세련된 포인트를 더할 수 있습니다. 둘째, 이너웨어의 스트라이프 패턴과 대비를 이루는 톤온톤 컬러의 스카프를 목에 두르면 전체적으로 컬러 밸런스를 맞추면서 따뜻한 느낌을 줄 수 있습니다. 셋째, 날씨가 더 추워진다면 블랙 앵클 부츠로 신발을 교체하여 보온성과 스타일을 동시에 챙길 수 있습니다. 네 번째로, 크로스백이나 토트백 같은 가방을 추가하여 실용성을 높일 수 있습니다. 마지막으로, 메이크업에서는 브라운 계열의 아이섀도우와 누드 톤의 립스틱을 사용하여 웜톤 룩과 조화를 이루는 자연스러운 메이크업을 추천합니다.

헤어 스타일 추천과 스타일링

이 룩에는 자연스러운 웨이브 헤어 스타일이나 깔끔하게 묶은 로우 번 헤어 스타일이 잘 어울립니다. 자연스러운 웨이브 헤어 스타일은 룩의 캐주얼함과 자연스러움을 강조하며, 얼굴에 부드러운 프레임을 형성하여 여성스러움을 더해줍니다. 긴 머리에 큰 웨이브를 주어 볼륨감을 살리면, 전체적인 스타일에 생동감을 부여할 수 있습니다. 한편, 로우 번 헤어 스타일은 깔끔하면서도 세련된 느낌을 줍니다. 목선이 드러나는 로우 번은 스카프나 목걸이와 잘 어울리며, 보다 단정하고 우아한 이미지를 연출할 수 있습니다.

헤어 스타일링 시, 자연스러운 웨이브를 위해 헤어 오일을 사용하여 머릿결을 부드럽게 하고, 볼륨 무스를 이용해 웨이브를 고정하는 것이 좋습니다. 로우 번 스타일을 할 때는 헤어핀과 헤어스프레이를 이용해 머리를 고정하고, 앞머리나 사이드 머리를 약간 빼서 자연스럽게 연출하면 더욱 세련된 느낌을 줄 수 있습니다. 두 스타일 모두 유지 관리가 간편하며, 룩의 다양한 요소들과 조화를 이루어 스타일리시하면서도 편안한 가을 데일리룩을 완성할 수 있습니다.

메이크업 추천과 스타일링

이 룩에는 자연스럽고 따뜻한 느낌의 웜톤 메이크업이 잘 어울립니다. 베이스 메이크업은 가볍고 자연스러운 피부 표현을 위해 비비크림이나 쿠션 파운데이션을 사용하여 촉촉하고 빛나는 피부를 연출합니다. 눈 메이크업은 브라운 계열의 아이섀도우를 사용하여 깊이감을 주고, 약간의 골드 펄을 더해 눈에 생기를 부여합니다. 아이라이너는 블랙보다는 다크 브라운을 선택하여 부드럽고 자연스러운 눈매를 연출하는 것이 좋습니다.

블러셔는 코랄이나 피치 톤을 사용하여 건강한 혈색을 더해줍니다. 립 메이크업은 누드 톤이나 브라운 계열의 립스틱을 사용하여 자연스럽고 따뜻한 분위기를 연출합니다. 글로시 립밤을 덧발라 촉촉한 입술을 유지하는 것도 좋은 방법입니다. 마지막으로, 메이크업의 완성도를 높이기 위해 브로우 메이크업에도 신경 써야 합니다. 자연스러운 브라운 컬러의 브로우 펜슬로 눈썹을 정리하고, 브로우 젤을 사용하여 깔끔하게 고정합니다.

이러한 웜톤 메이크업은 전체적인 룩과 잘 어울리며, 자연스럽고 따뜻한 느낌을 줍니다. 또한, 지나치게 화려하지 않으면서도 세련된 이미지를 연출할 수 있습니다. 메이크업과 헤어 스타일이 조화를 이루어 완성도 높은 가을 데일리룩을 연출할 수 있습니다.

추가 아이템 추천: 신발

이 룩에 어울리는 신발로는 블랙 앵클 부츠를 추천합니다. 블랙 앵클 부츠는 스타일리시하면서도 보온성을 제공하여 가을 시즌에 특히 적합합니다. 스웨이드 소재나 가죽 소재의 앵클 부츠는 룩의 고급스러움을 더해주며, 다양한 코디에 활용할 수 있습니다. 또한, 힐이 있는 앵클 부츠는 다리를 길어 보이게 하는 효과가 있어 전체적인 실루엣을 보다 슬림하게 연출할 수 있습니다. 만약 더 캐주얼한 느낌을 원한다면, 화이트 스니커즈도 좋은 선택이 될 수 있습니다. 화이트 스니커즈는 밝은 톤의 와이드 진과 잘 어울리며, 활동성을 높여줍니다. 또한, 다양한 액세서리와 쉽게 매치할 수 있어 코디의 유연성을 더해줍니다. 두 가지 신발 모두 룩의 분위기를 다르게 연출할 수 있어 상황에 맞게 선택할 수 있습니다.

추가 아이템 추천:가방

이 룩에 어울리는 가방으로는 브라운 레더 크로스백을 추천합니다. 브라운 레더 크로스백은 스웨이드 아우터와 색상이 잘 어울리며, 전체적인 웜톤 분위기를 유지해줍니다. 크로스백은 실용적이며, 손을 자유롭게 사용할 수 있어 편리합니다. 또한, 적당한 크기의 크로스백은 일상적인 소지품을 휴대하기에 충분한 공간을 제공하며, 스타일을 더해줍니다. 좀 더 포멀한 느낌을 원한다면, 블랙 토트백도 좋은 선택이 될 수 있습니다. 블랙 토트백은 깔끔하고 세련된 이미지를 연출하며, 다양한 스타일에 매치할 수 있습니다. 가죽 소재의 토트백은 특히 고급스러움을 더해주며, 전체적인 룩의 완성도를 높여줍니다. 두 가지 가방 모두 스타일리시하면서도 실용적인 아이템으로, 다양한 상황에서 활용할 수 있습니다.

추가 아이템 추천:액세서리

이 룩에 어울리는 액세서리로는 얇은 골드 체인 목걸이를 추천합니다. 얇은 골드 체인 목걸이는 미니멀하면서도 세련된 느낌을 주며, 스트라이프 패턴의 이너와 잘 어울립니다. 골드 컬러는 윔톤 룩에 따뜻한 포인트를 더해줍니다. 또한, 골드 링이나 작은 후프 귀걸이도 룩에 세련된 포인트를 더할 수 있습니다. 이러한 미니멀한 액세서리는 과하지 않으면서도 스타일리시한 느낌을 주며, 전체적인 룩에 고급스러움을 더해줍니다. 손목에는 얇은 골드 팔찌나 브라운 레더 워치를 추가하여 디테일을 살리는 것도 좋은 방법입니다. 이 외에도, 따뜻한 느낌의 브라운 계열의 스카프를 추가하면 컬러 밸런스를 맞추면서 보온성도 챙길 수 있습니다. 이러한 액세서리들은 룩의 완성도를 높여주며, 다양한 스타일링 옵션을 제공해 줍니다.

3. 캐주얼하고 자유로운 스타일:숏팬츠 & 롱아우터

스타일 평가

이 코디는 중년 여성에게도 적합한 캐주얼하고 활동적인 데일리 룩으로, 편안함과 스타일을 동시에 추구하는 느낌을 줍니다. 네이비 롱아우터는 기본적인 디자인에 실용성을 더해 다양한 날씨에 대응할 수 있는 아이템입니다. 안에 매치된 화이트 티셔츠는 밝은 색감으로 룩에 청량함을 더해주며, 심플한 디자인이 전체적인 코디를 깔끔하게 만들어 줍니다. 청반바지는 캐주얼한 분위기를 강조하며, 릴렉스 핏으로 편안함을 강조한 스타일입니다. 검은색 버킷햇은 룩의 포인트가 되어 시크함을 더해주고, 스니커즈는 활동성을 보장하면서도 스타일리시한 느낌을 줍니다. 전체적으로 쿨톤의 색감을 활용해 세련되면서도 편안한 데일리 룩을 잘 완성하고 있습니다.

스타일 코칭

이 룩을 더욱 돋보이게 하기 위해서는 몇 가지 스타일링 팁을 더할 수 있습니다. 우선, 롱 아우터와 티셔츠의 조합이 단조롭게 느껴질 수 있으므로, 티셔츠 대신 스트라이프 패턴이나 프린트가 있는 티셔츠를 매치해 룩에 생동감을 불어넣어보세요. 청반바지는 길이가 짧아 다리를 강조할 수 있으므로, 여기에 맞춰 슬림핏 스니커즈나 앵클 부츠를 매치해 좀 더 날씬해 보이는 효과를 줄 수 있습니다. 또, 화이트 티셔츠와 청반바지의 조합에 액세서리로 포인트를 주는 것도 좋은 방법입니다. 예를 들어, 심플한 실버 목걸이나 얇은 팔찌를 추가해 스타일에 세련미를 더할 수 있습니다. 마지막으로, 버킷햇 대신 트렌디한 캡 모자를 선택해 더 캐주얼하고 젊은 느낌을 줄 수 있습니다.

헤어 스타일 추천과 스타일링

이 스타일에 어울리는 헤어 스타일로는 자연스럽고 부드러운 웨이브가 들어간 미디엄 길이의 헤어를 추천합니다. 중년 여성에게는 얼굴을 부드럽게 감싸는 자연스러운 웨이브가 얼굴선을 더욱 돋보이게 하며, 캐주얼한 룩과 잘 어울립니다. 이 헤어 스타일은 청반바지와 롱 아우터의 캐주얼한 분위기와 조화를 이루면서도, 중년 여성의 세련된 이미지를 유지해 줍니다. 헤어 컬러는 쿨톤을 유지하기 위해 다크 브라운이나 애쉬 브라운을 선택하면 좋습니다. 또한, 머리 끝을 살짝 안쪽으로 말아주는 스타일링으로 얼굴이 작아 보이는 효과를 줄 수 있습니다. 헤어에 볼륨을 더해 자연스러운 움직임을 강조하고, 윤기를 더해줄 수 있는 헤어 오일이나 세럼을 사용해 건강한 머릿결을 연출하는 것도 좋은 방법입니다.

메이크업 추천과 스타일링

중년 여성의 당당함과 시크함을 강조하기 위해 메이크업은 자연스러우면서도 명확한 라인을 살리는 것이 중요합니다. 베이스 메이크업은 쿨톤 피부에 잘 어울리는 라벤더 베이스 프라이머로 피부 톤을 고르게 정리하고, 가벼운 파운데이션을 사용해 결점을 자연스럽게 커버합니다. 눈썹은 브라운 톤의 아이브로우 펜슬로 부드럽게 그리면서도 눈매를 선명하게 만들어줍니다. 아이 메이크업은 회색 또는 실버 톤의 아이섀도로 깊이감을 주고, 얇고 길게 빼주는 아이라이너로 눈매를 강조합니다. 립 컬러는 쿨톤의 로즈핑크나 플럼 색상을 선택해 입술에 생기를 더하면서도 차분한 느낌을 유지합니다. 마지막으로, 얼굴의 윤곽을 살릴 수 있는 하이라이터를 가볍게 사용해 피부에 자연스러운 광택을 주고, 은은한 핑크 톤의 블러셔로 마무리해 건강하고 생기 있는 메이크업을 완성합니다.

추가 아이템 추천: 신발

이 룩에 어울리는 신발로는 화이트 스니커즈를 추천합니다. 화이트 스니커즈는 청반바지와 롱 아우터의 캐주얼한 느낌을 더욱 돋보이게 해주며, 룩에 밝고 청량한 느낌을 더해줍니다. 또한, 스니커즈의 디자인은 심플하면서도 약간의 디테일이 들어간 것을 선택하면 전체적인 룩에 포인트를 줄 수 있습니다. 예를 들어, 컬러 블록 디테일이나 레트로 스타일의 스니커즈는 룩을 더욱 스타일리시하게 만들어줍니다. 스니커즈 대신 조금 더 포멀한 느낌을 원한다면, 블랙 레더 로퍼나 첼시 부츠를 선택해도 좋은 조합이 될 수 있습니다.

추가 아이템 추천: 가방

가방으로는 미디엄 사이즈의 크로스바디 백을 추천합니다. 블랙이나 다크 그린과 같은 색상의 가방을 선택하면 롱 아우터와 조화를 이루면서도 시크한 느낌을 더할 수 있습니다. 크로스바디 백은 실용적이면서도 손을 자유롭게 사용할 수 있어 활동적인 날에도 편리하게 사용할 수 있습니다. 디자인은 심플하면서도 약간의 메탈릭 디테일이 있는 것을 선택해 룩에 세련된 포인트를 더할 수 있습니다. 백팩을 선택하면 더욱 캐주얼하고 편안한 느낌을 줄 수 있으며, 외출 시 필요한 물건들을 수납하기에도 좋습니다.

추가 아이템 추천: 액세서리

액세서리로는 실버 톤의 주얼리를 추천합니다. 얇은 실버 체인 목걸이나 작은 스터드 귀걸이는 캐주얼한 룩에 세련된 느낌을 더해줍니다. 또한, 블랙 버킷햇과 잘 어울리는 심플한 디자인의 귀걸이나 링 귀걸이는 얼굴을 더욱 돋보이게 할 수 있습니다. 손목에는 실버톤의 얇은 시계를 착용해 스타일리시한 포인트를 주면서도 실용적인 면을 강조할 수 있습니다. 또한, 슬림한 실버 뱅글이나 여러 개를 겹쳐서 착용할 수 있는 얇은 팔찌를 매치해 룩에 섬세한 디테일을 더하는 것도 좋은 선택입니다.

4. 캐주얼하고 자유로운 스타일 청청스타일

스타일 평가

이 데일리룩은 중년 여성에게 잘 어울리는 쿨톤의 청아우터를 중심으로 한 캐주얼하면서도 세련된 스타일입니다. 청아우터는 깔끔한 라인과 여유로운 실루엣으로 편안하면서도 스타일리시한 느낌을 줍니다.

특히 쿨톤의 차분한 블루 컬러는 중년 여성에게 젊고 시크한 인상을 더해주며, 다양한 색상과 자연스럽게 어우러져 활용도가 높습니다. 아우터의 길이감은 체형을 길고 슬림하게 보이게 하며, 안정감 있는 실루엣을 만들어줍니다.

내부에 매치된 베이직한 아이보리 톤의 이너웨어는 청아우터와 자연스럽게 조화를 이루며, 전체적인 룩을 밝고 깔끔하게 완성합니다. 이 스타일은 특히 일상적인 외출이나 가벼운 모임에 적합하며, 중년 여성의 세련된 감각을 돋보이게 하는 데일리룩의 좋은 예입니다.

청아우터와 이너웨어의 조합이 시각적으로 편안함과 단정함을 동시에 표현하며, 계절과 상관없이 언제든지 활용할 수 있는 실용적인 스타일입니다.

스타일 코칭

이 쿨톤 청아우터를 활용한 스타일은 중년 여성의 세련된 감각을 강조하는 데일리룩으로, 여러 가지로 응용할 수 있는 장점을 가지고 있습니다. 먼저, 하의는 청아우터의 쿨톤과 잘 어울리는 진청색의 데님이나, 밝은 베이지 또는 아이보리 컬러의 팬츠를 매치해 조화로운 톤온톤 스타일을 완성할 수 있습니다.

신발은 화이트 스니커즈로 캐주얼한 느낌을 더하거나, 블랙이나 네이비 컬러의 로퍼로 조금 더 포멀하고 차분한 분위기를 연출할 수 있습니다. 액세서리로는 실버 톤의 주얼리가 청아우터와 잘 어우러지며, 크로스백 또는 미니멀한 디자인의 토트백을 선택해 전체적인 룩을 깔끔하게 정돈해줍니다.

헤어 스타일은 자연스럽게 흐르는 스트레이트 헤어나 단정한 로우 번을 추천하며, 메이크업은 쿨톤 피부에 어울리는 베이지나 핑크 톤으로 건강하고 생기 있는 얼굴을 연출하면 좋습니다. 이 스타일은 일상적인 외출은 물론, 가벼운 모임이나 친구들과의 만남에서도 부담 없이 멋을 낼 수 있는 세련된 선택입니다.

헤어 스타일 추천과 스탕일링

이 쿨톤 청아우터에 잘 어울리는 헤어 스타일로는 자연스러운 스트레이트 헤어와 단정한 로우 번을 추천합니다. 스트레이트 헤어는 청아우터의 깔끔한 라인과 잘 어우러져 전체적인 룩을 단정하면서도 시크하게 만들어줍니다.

특히 어깨나 그 이하 길이의 머리는 중년 여성에게 성숙하면서도 세련된 이미지를 더해줍니다. 자연스러운 볼륨을 살려주는 텍스처 스프레이를 사용하면 더욱 멋스러운 스타일을 연출할 수 있습니다.

로우 번 스타일은 깔끔하고 단정한 느낌을 주며, 청아우터의 캐주얼한 느낌과 균형을 이루어 전체적으로 차분하면서도 세련된 분위기를 만들어줍니다. 로우 번은 모임이나 격식 있는 자리에서도 잘 어울리며, 이때 얼굴 주변에 몇 가닥의 머리카락을 남겨 자연스러운 느낌을 더하는 것이 좋습니다.

메이크업 추천과 스타일링

이 쿨톤 청아우터에 어울리는 메이크업은 중년 여성의 당당함과 시크함을 강조할 수 있도록 깔끔하고 세련된 스타일을 추천합니다. 먼저, 베이스 메이크업은 쿨톤 피부를 돋보이게 하는 라이트 베이지나 핑크 베이지 계열의 파운데이션을 사용해 자연스럽고 건강한 피부를 표현하는 것이 좋습니다.

컨실러로 눈가와 입가를 밝히고, 은은한 핑크 톤의 블러셔로 얼굴에 생기를 더합니다. 아이 메이크업은 브라운이나 그레이 계열의 아이섀도우로 눈매를 또렷하게 강조하며, 아이라인은 자연스럽게 그리고 마스카라로 속눈썹을 길고 풍성하게 연출합니다.

립 메이크업은 쿨톤 레드나 로즈핑크 컬러를 선택해 입술에 포인트를 주어 시크한 분위기를 완성합니다. 마지막으로, 메이크업 픽서를 사용해 오랜 시간 메이크업을 유지할 수 있도록 마무리합니다. 이 메이크업 스타일은 중년 여성의 당당함과 세련됨을 강조하며, 청아우터와 함께 편안하면서도 강렬한 인상을 남길 수 있는 룩을 완성해줍니다.

헤어 액세서리로는 실버 톤의 심플한 핀이나 머리끈을 사용해 과하지 않으면서도 우아한 포인트를 줄 수 있습니다. 이 두 가지 헤어 스타일은 모두 중년 여성의 품격을 유지하면서도 일상적인 스타일링에서 활용하기 좋은 선택입니다.

추가 아이템 추천: 신발

이 청아우터 룩에 어울리는 신발로는 화이트 스니커즈나 블랙 로퍼를 추천합니다. 화이트 스니커즈는 캐주얼하면서도 산뜻한 이미지를 주어 전체적인 룩에 활력을 더해줍니다. 편안하면서도 다양한 스타일에 쉽게 매치할 수 있어, 데일리룩으로 활용하기 좋습니다.

블랙 로퍼는 조금 더 차분하고 격식 있는 분위기를 연출합니다. 중년 여성에게 우아하면서도 단정한 인상을 주며, 격식 있는 자리에서도 부담 없이 신을 수 있는 아이템입니다. 두 가지 신발 모두 청아우터와 조화롭게 어울리며, 상황에 맞게 선택하면 세련된 룩을 완성할 수 있습니다.

추가 아이템 추천: 액세서리

이 청아우터 룩에 어울리는 액세서리로는 실버 톤의 심플한 귀걸이와 목걸이를 추천합니다. 실버 톤의 액세서리는 쿨톤의 청아우터와 잘 어우러져, 전체적인 룩에 시크함과 세련된 느낌을 더해줍니다.

심플한 디자인의 귀걸이와 목걸이는 과하지 않으면서도 얼굴에 화사한 포인트를 주어, 중년 여성의 품격 있는 스타일을 완성합니다. 또한, 얇은 실버 팔찌를 추가하면 손목에 은은한 포인트를 주어 전체적인 스타일에 고급스러운 느낌을 더할 수 있습니다. 이러한 액세서리들은 청아우터와 잘 조화를 이루어 다양한 상황에서 멋스러운 룩을 완성하는 데 도움을 줄 것입니다.

4. 보헤미안 감성 스타일
(Bohemian & Artistic)

키워드: 예술적, 자연친화적, 창의적, 빈티지

보헤미안 감성 스타일은 예술적이고 자유로운 영혼을 반영하는 스타일로, 독특한 디테일과 창의적인 패턴이 돋보입니다. 자연친화적이면서도 창의적인 개성을 표현하며, 빈티지한 매력을 강조합니다. 규칙에 얽매이지 않고 개성을 마음껏 드러낼 수 있는 것이 이 스타일의 핵심입니다.

코디 요소

이 스타일은 에스닉 프린트, 프린지, 수공예 디테일을 포함한 아이템으로 완성됩니다. 플로우 드레스나 와이드 팬츠, 루스한 카디건은 자유로운 감성을 잘 표현하며, 브라운, 카키, 테라코타와 같은 자연의 컬러

팔레트를 활용합니다. 머리띠, 크로셰 가방, 빈티지한 주얼리 같은 수
공예 소품은 이 스타일의 독창성을 돋보이게 합니다. 여기에 샌들이나
부츠를 매치해 자연스러운 분위기를 더합니다.

적합한 상황

보헤미안 감성 스타일은 야외 페스티벌, 예술 전시회, 자연에서의 휴
식과 같은 자유롭고 창의적인 분위기에서 잘 어울립니다. 또한, 여행
중의 룩이나 편안한 주말 스타일로도 훌륭한 선택입니다. 예술적인 감
각을 강조하고 싶을 때, 이 스타일은 독특한 매력을 발산합니다.

보헤미안 감성 스타일은 당신의 창의성과 자유로운 영혼을 표현하는
데 완벽합니다. 자신만의 예술적인 매력을 마음껏 보여주세요.

1. 보헤미안 감성 스타일: 쉬폰 원피스 & 린넨 아우터

스타일 평가

이 스타일은 편안하면서도 세련된 데일리 룩을 잘 보여줍니다. 주된 요소는 카키색 린넨 아우터와 패턴이 있는 쉬폰 원피스입니다. 카키색 아우터는 가벼우면서도 보온성을 갖춘 실용적인 선택으로, 롤업된 소매와 넉넉한 핏이 캐주얼하면서도 스타일리시한 느낌을 줍니다. 쉬폰 원피스는 패턴이 가미되어 있어 시각적으로 흥미로우며, 하늘하늘한 소재가 여성스러움을 강조합니다. 특히, 원피스의 플로럴 패턴은 전체적인 룩에 부드러움을 더해줍니다.

허리를 강조하는 갈색 벨트는 실루엣을 정의하는 중요한 역할을 합니다. 이는 허리 라인을 강조해주어 날씬해 보이게 하며, 전체적인 스타일에 포인트가 됩니다. 민트색 신발은 색상의 조화를 이루면서도 포인트가 되어 주목을 끌며, 편안한 착용감을 예상할 수 있습니다.

이 스타일은 편안함과 세련됨을 동시에 갖추고 있어 일상 생활은 물론, 가벼운 외출이나 모임에도 적합합니다. 전체적인 색상 조합과 소재의 조화가 잘 어우러져 있어, 웜톤의 피부를 가진 사람에게 특히 잘 어울리는 스타일입니다.

스타일 코칭

이 스타일을 더욱 완성도 높게 만들기 위해 몇 가지 보완점을 제안드립니다. 먼저, 액세서리를 추가해 포인트를 주는 것이 좋습니다. 금속성의 얇은 목걸이나 작은 귀걸이를 더하면 룩이 한층 더 세련되어 보일 것입니다.

신발은 민트색도 좋지만, 중립적인 베이지나 브라운 색상의 신발로 교체하면 더욱 안정감 있는 코디가 완성됩니다. 이는 전체적인 색상 톤을 맞추는 데 도움이 됩니다.

가방 선택 시 작은 크로스백이나 숄더백을 매치하면 실용적이면서도 멋스러운 룩을 연출할 수 있습니다. 색상은 아우터와 신발에 맞춰 중립적인 톤을 선택하는 것이 좋습니다.

마지막으로, 헤어 스타일을 자연스럽게 웨이브를 준 머리나 낮게 묶은 로우번 스타일로 하면 더욱 스타일리시한 모습을 연출할 수 있습니다.

헤어 스타일 추천과 스타일링

이 룩에는 자연스럽고 부드러운 헤어 스타일이 가장 잘 어울립니다. 자연스러운 웨이브를 준 머리는 편안하면서도 세련된 느낌을 줍니다. 이 스타일은 얼굴을 부드럽게 감싸주어 전체적인 룩과 잘 어우러지며, 특히 쉬폰 원피스와 잘 어울립니다. 자연스럽게 흐르는 웨이브는 여성스러움을 더해주고, 데일리 룩에도 잘 맞습니다.

로우번 헤어 스타일도 추천합니다. 낮게 묶은 번 스타일은 깔끔하면서도 우아한 느낌을 줍니다. 이 스타일은 아우터와 원피스의 캐주얼함을 중화시키고, 약간의 포멀함을 더해줍니다. 번을 고정할 때 약간 느슨하게 묶어 자연스러운 느낌을 살리는 것이 중요합니다.

이 헤어 스타일은 또한 다양한 액세서리와도 잘 어울립니다. 얇은 헤어밴드나 작은 헤어핀을 추가해 포인트를 주면 더욱 스타일리시해 보일 수 있습니다. 전체적인 룩을 완성하는 데 중요한 요소인 헤어 스타일은 개인의 얼굴형과 머리 길이에 따라 다양한 변형이 가능하므로, 자신에게 가장 잘 어울리는 스타일을 찾아보는 것이 좋습니다.

메이크업 추천과 스타일링

이 룩에는 웜톤 계열의 메이크업이 가장 잘 어울립니다. 전체적인 스타일이 따뜻한 색조로 이루어져 있기 때문에, 메이크업 역시 웜톤으로 맞추어 주는 것이 중요합니다. 베이스 메이크업은 자연스러운 피부 표현을 위해 가벼운 파운데이션이나 비비크림을 사용하고, 컨실러로 필요한 부분만 커버하는 것이 좋습니다.

아이 메이크업은 베이지, 브라운 계열의 아이섀도우를 사용해 깊이감을 주는 것이 좋습니다. 라인을 또렷하게 그려주는 브라운 아이라이너와 마스카라를 사용해 눈매를 강조해 줍니다. 블러셔는 코랄 계열을 사용해 볼에 자연스럽게 생기를 주고, 립 메이크업은 같은 톤의 코랄이나 누드 계열 립스틱을 발라 자연스러운 룩을 완성합니다.

이 메이크업 스타일은 전체적인 룩과 조화를 이루며, 자연스럽고 부드러운 이미지를 강화해줍니다. 너무 과하지 않으면서도 세련된 느낌을 줄 수 있어 데일리 메이크업으로도 적합합니다. 중요한 것은 본인의 피부톤과 잘 어울리는 제품을 선택해 자연스러운 아름다움을 강조하는 것입니다.

추가 아이템 추천: 신발

현재의 민트색 신발도 좋지만, 중립적인 베이지나 브라운 색상의 신발을 추천드립니다. 이러한 색상은 전체적인 룩을 더 안정감 있게 만들어 주며, 다양한 코디에 활용할 수 있는 장점이 있습니다. 예를 들어, 베이지 색상의 로퍼나 브라운 색상의 앵클부츠는 편안하면서도 세련된 느낌을 줍니다.

로퍼는 캐주얼하면서도 클래식한 디자인으로 다양한 스타일에 어울리며, 특히 린넨 아우터와 쉬폰 원피스와 잘 어울립니다. 앵클부츠는 가을이나 겨울철에 적합하며, 약간의 힐이 있는 디자인을 선택하면 키가 커 보이는 효과를 줄 수 있습니다.

색상뿐만 아니라 소재도 중요합니다. 가죽이나 스웨이드 같은 고급 소재를 선택하면 전체적인 룩의 완성도를 높일 수 있습니다. 또한, 신발의 디테일에도 신경 써야 합니다. 심플한 디자인이 가장 무난하지만, 약간의 디테일이 가미된 신발도 전체적인 코디에 포인트가 될 수 있습니다.

추가 아이템 추천: 가방

작은 크로스백이나 숄더백을 추천드립니다. 이러한 가방은 실용적이면서도 스타일리시한 룩을 완성하는 데 중요한 역할을 합니다. 색상은 아우터와 신발에 맞춰 중립적인 톤의 베이지나 브라운이 가장 잘 어울립니다.

크로스백은 손이 자유로워져 활동하기 편리하며, 작은 사이즈로 포인트를 주기에도 좋습니다. 가죽 소재의 크로스백은 클래식하면서도 세련된 느낌을 줍니다. 약간의 디테일이 있는 디자인을 선택하면 더욱 스타일리시해 보일 수 있습니다.

숄더백은 좀 더 캐주얼한 느낌을 주며, 다양한 물건을 수납할 수 있어 실용적입니다. 특히, 라탄 소재의 숄더백은 여름철에 잘 어울리며, 린넨 아우터와 쉬폰 원피스와 자연스럽게 어울립니다.

가방을 선택할 때는 디자인뿐만 아니라 실용성도 고려해야 합니다. 지퍼나 포켓이 충분히 있어 물건을 안전하게 수납할 수 있는 가방이 좋습니다. 또한, 가방의 스트랩 길이도 조절 가능하면 더욱 편리합니다.

추가 아이템 추천: 액세서리

룩을 완성하는 데 중요한 역할을 하는 액세서리로는 목걸이, 귀걸이, 팔찌 등을 추천드립니다. 금속성의 얇은 목걸이는 심플하면서도 세련된 느낌을 주며, 룩에 포인트를 더해줍니다. 특히, 펜던트가 있는 목걸이는 시선을 끌 수 있어 좋습니다.

작은 귀걸이도 추천드리며, 작은 링 귀걸이나 스터드 귀걸이는 어떤 룩에도 잘 어울립니다. 지나치게 화려하지 않으면서도 룩에 포인트를 줄 수 있어 데일리 룩에 적합합니다.

팔찌는 간단한 디자인의 실 팔찌나 가죽 팔찌를 추천드립니다. 이러한 팔찌는 자연스럽게 손목을 강조해주며, 캐주얼한 느낌을 더해줍니다. 또한, 여러 개의 얇은 팔찌를 레이어드하는 것도 좋은 방법입니다.

액세서리를 선택할 때는 전체적인 룩과 조화를 이루는 것이 중요합니다. 너무 과하지 않으면서도 포인트를 줄 수 있는 액세서리를 선택하면, 전체적인 스타일이 더욱 완성도 높게 연출됩니다.

2. 보헤미안 감성 스타일: 린넨 블라우스 & 화이트진

스타일 평가

이 코디는 중년 여성에게 적합한 여름 데일리룩입니다. 노란색 린넨 상의는 밝고 활기찬 느낌을 주며, 레이스 디테일이 여성스러움을 더해 줍니다. 볼륨 있는 소매 디자인은 전체적인 실루엣을 균형 있게 만들 어주고, 자연스러운 우아함을 강조합니다. 화이트 와이드 팬츠는 편안함과 동시에 세련된 분위기를 연출하며, 상의와 완벽한 조화를 이룹니다.
다.

라탄 모자는 여름철 필수 아이템으로, 자연스럽고 캐주얼한 느낌을 줍니다. 화이트 샌들은 룩을 깔끔하게 마무리하며, 편안함과 스타일을 동시에 제공합니다. 골드 목걸이, 우드 팔찌, 심플한 골드 링 귀걸이 등의 액세서리는 전체적인 룩에 자연스러운 매력을 더해줍니다. 이 룩은 캐주얼한 외출이나 가벼운 모임에 적합하며, 여름의 상쾌한 느낌을 완벽하게 표현합니다.

스타일 코칭

액세서리 추가: 룩에 작은 액세서리를 더하면 완성도를 높일 수 있습니다. 골드나 우드 소재의 목걸이, 팔찌, 귀걸이를 추가해보세요. 이는 룩에 따뜻함과 자연스러운 매력을 더해줍니다.

헤어 스타일: 자연스러운 웨이브 헤어나 낮게 묶은 포니테일이 잘 어울립니다. 라탄 모자와 함께 착용해 여름의 느낌을 더 살려보세요.

가방 선택: 천연 소재의 크로스백이나 미니 숄더백을 매치하면 좋습니다. 라탄 백이나 캔버스 소재의 가방도 추천합니다.

헤어 스타일 추천과 스타일링

이 룩에는 자연스럽고 편안한 느낌을 강조한 헤어 스타일이 잘 어울립니다. 자연스러운 웨이브 헤어는 린넨 소재와 잘 어울리며, 얼굴에 부드러운 윤곽을 만들어줍니다. 자연스럽게 흐르는 웨이브는 여름의 시원한 분위기를 한층 더해줍니다. 낮게 묶은 포니테일은 단정하면서도 캐주얼한 느낌을 주며, 목선을 강조해 시원한 느낌을 줍니다. 헤어밴드나 스카프를 사용해 포인트를 주면 더 스타일리시해질 수 있습니다. 자연스러운 텍스처를 살려주는 헤어 제품을 사용해 더욱 완성된 스타일을 연출해보세요.

메이크업 추천과 스타일링

이 룩에는 자연스럽고 누드 톤의 메이크업이 잘 어울립니다. 전체적인 코디가 밝고 편안한 느낌을 주기 때문에, 메이크업도 이에 맞춰 자연스러운 톤을 유지하는 것이 좋습니다. 피부 표현은 가벼운 비비크림이나 톤업 크림을 사용해 자연스러운 광택을 살려주세요. 이는 피부의 결점을 가리면서도, 자연스러운 광채를 유지할 수 있도록 도와줍니다.

아이 메이크업은 브라운 계열의 섀도우를 사용해 부드러운 음영을 주는 것이 좋습니다. 과도하지 않은 음영 메이크업은 눈매를 또렷하게 하면서도 자연스러운 룩을 연출해줍니다. 아이라이너는 브라운 컬러로 가볍게 그려주고, 마스카라를 이용해 속눈썹을 자연스럽게 강조해보세요.

블러셔는 코랄이나 피치 톤을 선택해볼 것을 추천합니다. 이는 얼굴에 따뜻한 생기를 더해주며, 전체적인 룩에 잘 어울립니다. 립 컬러는 누드 톤이나 코랄 핑크를 사용해 자연스럽게 마무리해 주세요. 립글로스를 더해 촉촉한 느낌을 살리는 것도 좋은 방법입니다.

추가 아이템 추천: 신발

이 룩에 어울리는 신발로는 자연스럽고 편안한 느낌의 아이템을 추천합니다. 화이트 샌들이 이미 룩에 잘 어울리지만, 조금 더 변화를 주고 싶다면 베이지나 브라운 톤의 에스파드리유를 고려해보세요. 이는 린넨 상의와 화이트 팬츠의 자연스러운 무드에 잘 맞으며, 여름철 시원한 느낌을 더해줍니다.

또 다른 옵션으로는 미니멀한 디자인의 슬립온 슈즈도 좋습니다. 이는 활동성을 강조하면서도 세련된 느낌을 줄 수 있습니다. 화이트나 누드 톤의 슬립온은 다양한 코디에 잘 어울리며, 편안함과 스타일을 동시에 제공합니다. 마지막으로, 로우컷 스니커즈를 선택해 캐주얼한 느낌을 더해보는 것도 좋습니다.

추가 아이템 추천: 가방

이 룩에는 천연 소재의 가방이 잘 어울립니다. 예를 들어, 라탄 백이나 스트로우 소재의 가방은 자연스러운 느낌을 강조하며, 전체적인 코디와 조화를 이루기 좋습니다. 라탄 크로스백이나 토트백은 여름철 가벼운 외출에 적합하며, 스타일리시한 무드를 더해줍니다.

또 다른 추천 가방으로는 캔버스 소재의 가방입니다. 캔버스 백은 편안하면서도 캐주얼한 느낌을 주며, 특히 화이트 와이드진과 잘 어울립니다. 미니멀한 디자인의 캔버스 백이나 에코백을 선택하면 더욱 자연스러운 룩을 완성할 수 있습니다.

마지막으로, 가벼운 미니 숄더백도 좋은 선택입니다. 밝은 색상의 가죽이나 인조 가죽 소재를 선택해 포인트를 주면, 전체적인 룩에 세련된 느낌을 더할 수 있습니다. 이러한 가방들은 실용적이면서도 스타일을 살려주는 아이템들입니다.

추가 아이템 추천: 악세사리

이 룩에는 작은 액세서리를 추가해 더욱 완성된 느낌을 줄 수 있습니다. 골드나 우드 소재의 목걸이는 자연스러운 느낌을 더해주며, 룩의 중심을 방해하지 않으면서도 포인트를 줄 수 있습니다. 심플한 디자인의 펜던트 목걸이나 얇은 체인 목걸이가 좋습니다.

또한, 팔찌나 귀걸이도 좋은 선택입니다. 우드 소재의 팔찌는 린넨 상의와 잘 어울리며, 자연스러운 무드를 강조합니다. 골드 톤의 얇은 팔찌나 심플한 링 귀걸이도 룩에 세련된 느낌을 더해줍니다.

마지막으로, 자연스러운 느낌의 헤어 액세서리도 추천드립니다. 예를 들어, 우드 헤어핀이나 천연 소재의 헤어밴드는 헤어 스타일에 포인트를 주며, 전체적인 룩과 잘 어울립니다. 이러한 액세서리들은 룩을 더욱 완성도 있게 만들어줄 것입니다.

3. 보헤미안 감성 스타일: 린넨 점프수트 & 화이트티

스타일 평가

이 데일리룩은 린넨 점프수트와 레이스 디테일이 있는 화이트 티셔츠로 구성되어 있습니다. 이 조합은 여름철 시원하면서도 스타일리시한 느낌을 주기에 완벽합니다. 린넨 소재는 통기성이 좋고 가벼워 무더운 날씨에도 쾌적하게 입을 수 있습니다. 또한, 린넨의 자연스러운 구김은 캐주얼하면서도 멋스러운 느낌을 더해줍니다. 올리브 그린 색상의 점프수트는 웜톤 피부에 잘 어울리며, 자연스러운 분위기를 자아냅니다. 이 색상은 자연의 색을 닮아 편안하고 안정적인 느낌을 줍니다.

레이스 디테일이 들어간 화이트 티셔츠는 여성스러움을 더해줍니다. 레이스는 단순한 티셔츠를 보다 고급스럽고 우아하게 만들어줍니다. 특히, 어깨 부분에 레이스 디테일이 들어가면 팔 라인을 더 날씬하게 보이도록 도와줍니다. 이 티셔츠는 린넨 점프수트와 함께 입으면 상반신에 포인트를 주어 시선을 끌 수 있습니다.

밀짚모자는 여름철 야외 활동에 적합하며, 캐주얼하고 여유로운 느낌을 줍니다. 햇볕을 막아주면서도 스타일을 더해주는 아이템으로, 해변이나 피크닉 같은 야외 활동에서 유용하게 활용할 수 있습니다. 마지막으로, 스니커즈는 전체적으로 편안하면서도 활동적인 이미지를 완성시킵니다. 이 룩은 편안함과 스타일을 동시에 추구하는 분들께 추천드립니다. 스니커즈는 오랜 시간 걷거나 활동할 때 발에 무리를 주지 않으면서도 트렌디한 느낌을 줄 수 있습니다.

액세서리는 룩의 완성도를 높여주는 중요한 요소입니다. 이 데일리룩에는 간단한 골드 액세서리를 추가하면 더욱 세련된 느낌을 줄 수 있습니다. 예를 들어, 얇은 골드 체인 목걸이는 목선을 더 길어 보이게 하고, 고급스러운 느낌을 더해줍니다. 심플하지만 눈에 띄는 골드 목걸이는 어떤 룩에도 잘 어울리며, 특히 린넨 점프수트와 같은 자연스러운 소재와 잘 어울립니다.

작은 골드 후프 이어링도 추천합니다. 후프 이어링은 얼굴을 더 작고 갸름하게 보이도록 도와주며, 전체적인 룩에 우아함을 더합니다. 특히, 골드 컬러는 웜톤 피부와 잘 어울려 피부 톤을 더욱 빛나게 해줍니다. 너무 크지 않은 작은 사이즈의 후프 이어링을 선택하면 부담스럽지 않게 일상에서 착용할 수 있습니다.

또한, 손목에 가벼운 골드 뱅글이나 팔찌를 추가하면 손동작이 더 우아해 보일 수 있습니다. 골드 액세서리는 린넨 점프수트의 캐주얼함을 균형 있게 잡아주어 전체적으로 세련된 이미지를 완성해줍니다. 액세서리를 선택할 때는 너무 과하지 않도록 주의해야 합니다. 과한 액세서리는 룩을 어수선하게 만들 수 있으니, 최대한 심플하고 미니멀한 디자인을 선택하는 것이 좋습니다.

스타일 코칭: 가방 선택

가방은 스타일과 실용성을 모두 만족시켜야 하는 중요한 아이템입니다. 이 데일리룩에는 크로스백이나 토트백을 추가하면 실용적이면서도 스타일리시한 룩을 완성할 수 있습니다. 베이지나 브라운 계열의 가죽 가방이 잘 어울릴 것입니다. 베이지 색상의 크로스백은 어디에나 잘 어울리며, 가볍고 실용적입니다. 린넨 점프수트의 자연스러운 색감과도 잘 어울려 전체적인 룩을 조화롭게 만들어줍니다.

브라운 가죽 토트백도 좋은 선택입니다. 브라운 컬러는 클래식하면서도 고급스러운 느낌을 주며, 가죽 소재는 내구성이 좋아 오래 사용할 수 있습니다. 또한, 토트백은 수납공간이 넉넉해 일상에서 필요한 물건들을 쉽게 넣고 다닐 수 있습니다. 여름철에는 밝은 컬러의 가방을 선택하면 더 시원한 느낌을 줄 수 있습니다.

또한, 작은 크기의 가방보다는 중간 크기 이상의 가방을 선택하는 것이 좋습니다. 너무 작은 가방은 실용성이 떨어질 수 있고, 너무 큰 가방은 린넨 점프수트의 가벼운 느낌과 어울리지 않을 수 있습니다. 가방의 디자인도 중요합니다. 너무 화려한 디자인보다는 심플하고 깔끔한 디자인을 선택하는 것이 좋습니다. 이렇게 하면 전체적인 룩이 더 정돈되어 보입니다.

스타일 코칭: 메이크업

메이크업은 옷차림을 완성하는 중요한 요소 중 하나입니다. 웜톤 피부를 강조하기 위해 브론즈 톤의 메이크업을 시도해보세요. 브론저는 얼굴에 자연스러운 태닝 효과를 주어 건강하고 생기 있는 피부 톤을 연출할 수 있습니다. 브론저를 사용할 때는 얼굴 외곽과 광대뼈 아래쪽에 가볍게 발라주면 자연스럽게 음영을 주어 입체감을 더해줄 수 있습니다.

피치 컬러의 블러셔도 추천합니다. 피치 컬러는 웜톤 피부에 잘 어울리며, 자연스럽고 생기 있는 얼굴을 만들어줍니다. 블러셔는 볼 중앙에 살짝 바른 후 경계가 생기지 않도록 부드럽게 블렌딩해주는 것이 중요합니다. 이렇게 하면 얼굴에 자연스러운 혈색을 더해줍니다.

아이(Eye) 메이크업은 골드 브라운 계열의 아이섀도우를 사용해보세요. 골드 브라운 컬러는 웜톤 피부와 잘 어울리며, 눈을 더욱 또렷하게 만들어줍니다. 아이섀도우는 눈두덩이 전체에 베이스 컬러를 바른 후, 브라운 컬러를 눈 끝 쪽에 살짝 덧발라주면 깊이 있는 눈매를 연출할 수 있습니다.

마지막으로, 립 메이크업은 코랄이나 피치 계열의 립스틱을 선택하면 좋습니다. 웜톤 피부를 더욱 돋보이게 해주며, 전체적인 메이크업을 완성시켜줍니다. 립스틱을 바른 후 립글로스를 살짝 덧발라주면 입술에 생기를 더해줄 수 있습니다. 이렇게 자연스럽고 건강한 느낌의 메이크업은 린넨 점프수트와 완벽하게 어울립니다.

스타일 코칭: 헤어 스타일

헤어 스타일은 룩의 완성도를 높여주는 중요한 요소입니다. 이 데일리룩에는 자연스러운 웨이브나 로우번 스타일이 잘 어울립니다. 자연스러운 웨이브는 전체적인 룩에 부드럽고 로맨틱한 느낌을 더해줍니다. 특히, 밀짚모를 썼을 때는 부드러운 웨이브가 룩의 완성도를 높여줄 것입니다. 웨이브를 연출할 때는 너무 과하지 않게 자연스럽게 연출하는 것이 중요합니다.

로우번 스타일도 좋은 선택입니다. 로우번은 간단하면서도 세련된 느낌을 주며, 여름철에도 시원하게 머리를 묶을 수 있는 장점이 있습니다. 로우번을 연출할 때는 약간의 잔머리를 남겨 자연스러운 느낌을 더해주면 좋습니다. 이렇게 하면 전체적인 룩이 더 부드럽고 여성스러워집니다.

또한, 밀짚모자와 잘 어울리는 헤어 액세서리를 추가해도 좋습니다. 예를 들어, 작은 꽃 장식이나 리본을 헤어에 더해주면 룩에 포인트를 줄 수 있습니다. 헤어 액세서리는 과하지 않게 적당히 사용하는 것이 중요합니다. 너무 많은 액세서리를 사용하면 오히려 룩이 복잡해 보일 수 있습니다.

마지막으로, 헤어 컬러도 중요한 요소입니다. 윔톤 피부에는 브라운 계열의 헤어 컬러가 잘 어울립니다. 브라운 컬러는 피부 톤을 더욱 돋보이게 해주며, 자연스럽고 건강한 느낌을 줍니다. 너무 어두운 색보다는 밝은 브라운이나 카라멜 브라운을 선택하면 더 화사한 느낌을 줄 수 있습니다.

스타일 코칭: 추가 아이템

이미지 속 두 사람은 플러스 사이즈로, 여름 데일리룩을 입고 있습니다. 올리브 그린 린넨 점프수트와 화이트 레이스 디테일 티셔츠를 매치해 시원하고 스타일리시한 느낌을 줍니다. 한 사람은 밀짚모자와 베이지색 가방을 들고, 다른 사람은 브라운 가죽 벨트와 토트백을 매치했습니다. 두 사람 모두 얇은 골드 체인 목걸이와 작은 후프 이어링을 착용해 세련된 포인트를 더했습니다. 자연스러운 웨이브 헤어 스타일과 브론즈 톤의 메이크업이 웜톤 피부를 돋보이게 합니다. 이 룩은 편안하면서도 여유로운 여름 분위기를 완성해줍니다.

4. 보헤미안 감성 스타일: 패턴상의 & 스커트

스타일 평가

이 데일리룩은 현대적이고 편안한 느낌을 주며, 특히 쿨톤 컬러의
상의가 돋보입니다. 상의는 코튼 소재로 제작되어 여름철 시원하게 입
을 수 있으며, 다양한 패턴이 독특하고 시선을 끌어줍니다. 주로 네이
비와 화이트, 레드 색상으로 구성된 패턴은 클래식하면서도 세련된 분

위기를 연출합니다. 여기에 매치된 청스커트는 무난하면서도 전체적인 코디를 완성하는 데 큰 역할을 합니다. 길이가 적절하여 활동하기에도 편하며, 데일리룩으로 손색이 없습니다. 모자는 스타일에 캐주얼한 요소를 더해주며, 햇빛을 가려주는 실용적인 역할도 합니다. 신발은 루즈한 디자인으로 편안함을 강조하며, 전체적인 룩과 잘 어우러집니다.

이 스타일은 일상에서 편하게 입을 수 있는 데일리룩으로서, 자연스러우면서도 멋스러운 이미지를 추구합니다. 전체적인 색상 조합이 잘 맞아 떨어지고, 각 아이템이 조화롭게 어울러서 누구나 쉽게 따라할 수 있는 스타일입니다. 이런 코디는 여름철 도시에서나 휴양지에서도 편안하게 입을 수 있어 매우 실용적입니다.

스타일 코칭

이 룩을 조금 더 업그레이드하고 싶다면, 몇 가지 요소를 추가하거나 보완해보세요. 먼저 액세서리를 활용해보세요. 실버 또는 화이트 톤의 귀걸이와 팔찌를 추가하면, 전체적인 스타일이 더욱 세련되고 완성도 있게 보일 것입니다.

가방은 캔버스 소재의 에코백이나 미니 백팩을 추천합니다. 베이지나 화이트 컬러의 가방은 전체적인 룩에 자연스럽게 어우러지며, 캐주얼한 느낌을 더욱 살려줍니다. 신발은 현재 루즈한 디자인도 좋지만, 좀 더 활동적인 느낌을 원한다면 화이트 스니커즈를 매치해보세요. 이렇게 하면, 편안하면서도 스타일리시한 데일리룩을 완성할 수 있습니다.

추가로, 상의의 패턴이 강렬하므로 하의는 단색으로 유지하는 것이 좋습니다. 이렇게 하면 상의의 포인트가 더욱 돋보이고 전체적인 룩이 균형을 이루게 됩니다.

헤어 스타일 추천과 스타일링

이 룩에 잘 어울리는 헤어 스타일은 자연스러운 웨이브 헤어 스타일입니다. 자연스러운 웨이브는 편안하면서도 스타일리시한 느낌을 주며, 전체적인 룩과 잘 어우러집니다. 긴 머리든 단발이든 상관없이, 가볍고 부드러운 웨이브를 주어 얼굴을 부드럽게 감싸주는 스타일을 추천합니다. 만약 모자를 쓰지 않는다면, 헤어밴드나 작은 머리핀 같은 액세서리로 포인트를 주는 것도 좋습니다.

웨이브 스타일을 연출하려면, 먼저 머리를 감고 충분히 건조시킨 후 열 보호제를 바릅니다. 그런 다음, 큰 배럴의 컬링 아이언을 사용해 자연스럽게 웨이브를 만들어 줍니다. 각 섹션을 컬링한 후 손가락으로 가볍게 풀어주어 자연스러운 느낌을 더해줍니다. 마지막으로, 가벼운 헤어 스프레이로 스타일을 고정하면 하루 종일 유지할 수 있습니다.

이런 웨이브 헤어 스타일은 특히 여름철에 잘 어울리며, 바람에 자연스럽게 흩날리는 모습이 매우 매력적입니다. 또한, 자연스러운 메이크업과 함께라면 더욱 조화롭게 보일 것입니다. 전체적인 스타일에 부드럽고 자연스러운 느낌을 더해주는 이 헤어 스타일을 통해, 당신의 데일리룩을 한층 더 완성도 있게 만들어보세요.

메이크업 추천과 스타일링

이 룩에는 자연스럽고 청량한 느낌의 메이크업이 잘 어울립니다. 먼저, 피부는 가볍고 자연스러운 베이스 메이크업을 추천합니다. BB크림이나 가벼운 파운데이션을 사용해 피부 톤을 고르게 정돈하고, 자연스러운 윤광을 더해줍니다. 컨실러를 이용해 다크서클이나 잡티를 커버해 깔끔한 피부 표현을 완성합니다.

아이 메이크업은 자연스럽게, 하지만 눈매를 또렷하게 만들어줍니다. 베이지 톤의 아이섀도를 사용해 눈가를 밝혀주고, 브라운 아이라이너로 눈매를 부드럽게 강조합니다. 마스카라는 길고 풍성한 속눈썹을 연출해 눈을 더 또렷하게 만들어줍니다.

블러셔는 자연스러운 핑크 또는 코랄 톤을 사용해 건강한 혈색을 더해줍니다. 광대뼈 위쪽에 가볍게 터치해주면, 전체적으로 생기있는 얼굴을 연출할 수 있습니다. 립 메이크업은 쿨톤의 립스틱을 선택해보세요. 핑크나 레드 톤의 립스틱은 시원하고 청량한 느낌을 더해줍니다.

전체적인 메이크업은 너무 과하지 않으면서도 깔끔하고 세련된 이미지를 줄 수 있도록 조절합니다. 자연스럽고 깨끗한 메이크업은 이 룩의 편안하고 스타일리시한 분위기를 더욱 돋보이게 해줍니다.

추가 아이템 추천: 신발

이 룩에 잘 어울리는 신발은 다양합니다. 현재의 루즈한 디자인도 좋지만, 활동성을 강조하고 싶다면 화이트 스니커즈를 추천합니다. 화이트 스니커즈는 청스커트와 잘 어울리며, 캐주얼하면서도 깔끔한 느낌을 줍니다. 또한, 편안한 착용감으로 일상에서 자유롭게 활동할 수 있습니다.

조금 더 여성스러운 느낌을 원한다면, 베이지 또는 파스텔 톤의 플랫 슈즈도 좋은 선택입니다. 플랫 슈즈는 편안하면서도 우아한 분위기를 연출할 수 있어 다양한 상황에서 활용하기 좋습니다. 여름철에는 발목 스트랩 샌들도 시원하고 스타일리시하게 연출할 수 있습니다.

신발은 전체적인 스타일에 큰 영향을 미치기 때문에, 상황과 분위기에 맞게 적절히 선택하는 것이 중요합니다. 다양한 스타일의 신발을 시도해보며 자신에게 가장 잘 어울리는 룩을 찾아보세요.

추가 아이템 추천: 가방

이 룩에 가장 잘 어울리는 가방은 캐주얼하고 실용적인 디자인입니다. 캔버스 소재의 에코백은 편안하면서도 스타일리시한 느낌을 줍니다. 에코백은 다양한 색상과 패턴이 있어 자신의 개성을 표현하기에 좋으며, 데일리룩에 잘 어울립니다.

또한, 미니 백팩은 활동성을 강조하면서도 깔끔한 디자인으로 전체적인 룩을 완성해줍니다. 베이지, 화이트, 네이비 등의 기본 색상을 선택하면 다양한 코디에 쉽게 매치할 수 있습니다.

조금 더 포멀한 느낌을 원한다면, 크로스바디 백을 추천합니다. 크로스바디 백은 작은 크기로 필요한 물건만 간편하게 휴대할 수 있어 실용적입니다. 깔끔한 디자인의 가죽 소재 가방도 좋은 선택입니다.

가방은 기능성과 디자인을 동시에 고려해 선택하는 것이 중요합니다. 다양한 가방을 시도해보며 자신에게 가장 잘 어울리는 스타일을 찾아보세요.

추가 아이템 추천: 액세서리

이 룩에 어울리는 액세서리는 심플하면서도 포인트를 줄 수 있는 아이템을 추천합니다. 먼저, 실버 또는 화이트 톤의 귀걸이는 전체적인 스타일을 깔끔하게 완성해줍니다. 작은 링 귀걸이나 미니멀한 디자인의 귀걸이는 데일리룩에 잘 어울립니다.

팔찌는 가벼운 실버 팔찌나 얇은 체인 팔찌를 추천합니다. 너무 화려하지 않으면서도 손목에 은은한 포인트를 줄 수 있습니다. 목걸이는 길이가 짧은 체인 목걸이나 심플한 펜던트 목걸이가 좋습니다. 상의의 패턴이 강렬하기 때문에, 액세서리는 최대한 간결한 디자인을 선택하는 것이 좋습니다.

마지막으로, 헤어 액세서리로는 작은 헤어핀이나 헤어밴드를 추천합니다. 머리를 자연스럽게 고정하면서도 스타일에 포인트를 줄 수 있습니다.

이런 액세서리들은 전체적인 룩에 포인트를 주면서도 과하지 않게 조화를 이루도록 도와줍니다.